KB103334

나 는 책 을 읽 고 글 을 쓰 며 님 과
함 께 길 을 걸 었 다

나는 책을 읽고 글을 쓰며 님과 함께 길을 걸었다

발 행 | 2024년 4월 16일
저 자 | 코스모스 박정하
펴낸이 | 한건희
펴낸곳 | 주식회사 부크크
출판사등록 | 2014.07.15.(제2014-16호)
주 소 | 서울특별시 금천구 가산디지털1로 119 SK트윈타워 A동 305호
전 화 | 1670-8316
이메일 | info@bookk.co.kr

ISBN | 979-11-410-8120-1
본 책은 브런치 POD 출판물입니다.
https://brunch.co.kr

www.bookk.co.kr

나는 책을 읽고 글을 쓰며
님과 함께 길을 걸었다

코스모스 박정하 지음

목차

III 님사랑

IV 길사랑

인사말

무언가에 끌리는 계기는 작은 관심에서 시작되었습니다.

손잡고 눈을 보며 말해주지 않아도 글이 내미는 손을 잡고 말을 나눌 수 있음을 알게 되었습니다. 책 속의 글이 말이 되었고 그 말을 읽고 들으면서 생각이 많아졌습니다.

제가 소개하는 책과 글과 님이 누군가의 관심과 호기심을 유지하는 계기가 되었으면 합니다.

누군가와 함께 길을 가고 있는 모든 분을 응원합니다.

｜ 책사랑

비가 많이 오고 더웠던 여름을 잊게 해 준 책,

자전적 소설과 고전이 된 소설을 포함하여 8편에 대한 이야기입니다.

이미 읽으셨다면 그 내용을 한 번 회상해 보는 기회가 되면 좋겠습니다.

제1화 떠오르는 생각을 다 믿지 않는 방법

내가 틀릴 수도 있습니다 - 비욘 나티코 -

쏴~ 후두두두~~

창밖이 온통 하얗다. 눈이 오는가 싶은데 빗소리가 요란하다. 순식간에 많은 비가 내릴 때는 저렇게 사방이 하얗게 보일 수도 있구나. 신기해하며 내다보았다. 앞뒤로 꽉 찬 건물 사이로 키 큰 나무들이 존재를 알린다. 무슨 학교에 이렇게 촘촘하게 건물들이 들어섰는지 경쟁하는 것 같다. 내다보노라면 간혹 숨길이 부족할 때도 있다.

어른 서넛이 둘러싸야 보듬을 수 있는 나무들이 '백 년 길'을 조성하고 있는 캠퍼스는 그 나무들을 베어내고 지었을 건물들을 가끔 안타깝게 한다. 빼곡한 건물 뒤편으로 그나마 조금 남아 있는 나무 둘레길을 아침마다 걷는다. 어쩌면 내 부모님도 알고 있을 듯한 우람한 플라타너스에게는 속엣말을 건네기도 했다. 그 길을 걸으며 생각한 책이

비욘 나티코 님의 '내가 틀릴 수도 있습니다'이다.

절반도 읽지 않았는데 양쪽 귀를 쏴하게 감아드는 느낌이 왔다. 나의 발걸음과 내 행동이 눈에 들어왔다. 차근차근 나를 바라보게 해 줬다. 많은 책에서 이야기한다. '지금'이 중요하다고 '현재'를 살아야 한다고. 몇 세대를 더 산 어른들이 가장 안타까워하는 이야기도 '그 당시를 마음껏 누리지 못함'이었다.

책으로 읽었고 말로 들으며 나름 '현재'를 살고자 해왔다. 그리고 '지금'에 열중하며 사는 줄 알았다. 이 책을 읽기 전까지는. 그런데 나의 모습들은 뭔가를 놓치고 있었다. 책을 절반 정도 읽었을 때 나의 자세가 변해갔다. 아침에 엘리베이터를 타거나 지하 주차장을 걸을 때 모바일 폰을 들여다보지 않고 있었다. 그렇게 하기가 싫어졌고 오롯이 내 발걸음과 내 자세와 내 시선에 집중하며 앞을 보며 걷고 싶었다.

운전할 때도 모바일 폰에 정신을 뺏기지 않게 되었다. 한 번에 여러 가지 일을 동시에 하는 것이 열심히 사는 것인 줄 알았는데 어느 하나 제대로 집중하지 못하고 있음을 알아챈 것이다. 이 책은 그런 자신을 돌아보게 해 줬다.

모든 사람들이 의외로 자신이 제법 똑똑하다고 착각한단다. 하지만 책에서는 시종일관 자기 자신을 너무 부족하다고 탓하지 말라는 이야기가 많았다. 자신에게 먼저 연민을 베풀라고 말한다. 그리고 지나가는

8

생각들을 잘 보내는 방법을 이야기한다.

많은 생각들이 소용돌이칠 때 주먹을 활짝 펴고 호흡에 주의를 기울여 보라고 했다. 영감을 뜻하는 인스피레이션(insiration)도 숨을 들이마시는 흡입의 의미가 있었다. 내면에서 생각들이 마구 날뛸 때 한 발짝 멀어져서 '그래 알았어! 나중에 이야기하자'라고 말해 보라 했다. 자기 내면의 소리에 귀 기울이다 보면 자기 자신을 더 잘 이해할 수 있게 된다고, 지나가는 생각을 구분할 수 있게 된다는 말이다.

자기애다. 자기를 돌아보고 자기를 사랑하는 데서 현재에 충실해질 수 있고 완전한 몰입이 가능하며 그때 알아차림과 열린 마음이 된다 했다. 바쁜 일상에 묻혀 물처럼 떠내려가다 문득 상처투성이인 나를 발견할 때가 있다. 지나가는 생각에 매몰된 것일까. 나를 귀하게 여기지 않아서 남들에게도 서툴렀던 건 아니었나.
책은 마법의 주문도 알려준다. 어떠한 갈등이 싹트려고 할 때 '내가 틀릴 수 있습니다'를 세 번 반복하라 한다. 자기 연민과 자기 사랑과 자기 자신과의 화해를 권하는 말이다. 그리고 더 나아간다. 자기 자신을 사랑하는 사람이 남을 더 열린 마음으로 대할 수 있다고 한다.

사람들은 대부분 남을 도와주길 좋아하며 기회가 생기면 선뜻 나서서 돕는다는 사실을 읽고서는 고개가 끄덕여졌다. 차량에 깔린 사람을 주위 사람들이 몰려와 차량을 들어 올려 구했다는 기사는 지금도 심심찮게 보기 때문이다. 쉽게 전하는 '건강 조언'이나 '충고' 그리고 '내려놓으라고 하는 말'은 자기 자신에게만 해야 하는 말이라고 했다. 늘 그러한 말을 주위에 쉽게 해 온 내 모습에 놀라 얼음이 된 순간이었다.

'만나는 사람마다 네가 모르는 전투를 치르고 있다' '친절하라' '그 어느 때라도'. 이 말은 평소 얼마나 사람들을 무심히 대하고 있었는지 콕콕 집어서 돌아보게 해줬다. 쉬 안다고 여겼던 가족조차도 제대로 그 내면을 보지 못하고 있지 않은가 말이다. 자신에게 다정히 귀 기울이고, 친절하고 기분 좋은 날 남들을 대하듯 자신에게 인내심을 발휘하라는 말은 두 손으로 받아 들고 싶었다.

뿌옇게 눈이 아닌 비가 오는 날도 있지만 반짝반짝 유리같이 빛나는 날도 있다. 이 책은 삶에서 접할 무수한 날들을 어떻게 맞이하고 헤쳐가면 좋을지 길을 밝혀주는 안내서 같다. 보석같이 고마운 말들이 가득하여 살면서 간간이 펼쳐보고 싶게 만든다.

제2화 기대 그 이상을 준 이야기

가재가 노래하는 곳 - 델리아 오언스 -

소설을 다 읽고 덮었을 때 크게 숨을 들이쉬고 입을 앙다물게 되었다. 그 소녀 사라가 백발의 노인이 되어 편안하고 자연스럽게 보트에서 숨을 거둔 모습이 보이는 것 같았다. 그녀의 한 생애에 박수를 보내고 싶었다.

동물학과 동물행동학을 전공한 저자가 70세가 넘어 처음 발표한 소설 '가재가 노래하는 곳'은 습지에 홀로 남겨진 소녀 이야기다. 자신의 전공과 무관하지 않은 습지와 조류 그리고 자연 속의 사람들을 그려 냈지만 삶의 연륜이 아니면 전할 수 없는 이야기였다.

'외로움'에 대한 책이라고 단언했고 '고립이 인간에게 미치는 영향'을 이야기하고 싶었다고 하지만 언어와 문화가 다른 곳에 사는 누군가는 또 이런 감동을 가지게 된 것을 알 수 있으려는지. 동화 같고 영화 같은 배경인데 내용은 많은 생각에 젖게 한다. 가까운 곳에 산다면 당장이라도 찾아가서 더 이야기를 나누었을 것이다.

보통 사람들이 할 수 없는 일을 글로 해냈다고 본다. 큰 호흡 끝에 받은 위로라고 할까. 어쩌면 동시대를 살아간 어른 여성이 후배들을 위로하고 어루만져 주는 이야기일지도 모른다. 이른 아침에 눈이 번쩍 뜨였고 기운을 내서 또 하루를 시작하게 해줬다.

여름의 끝자락에서 만난 습지 소녀 카야는 세대를 아우르고 문화를 아울러 모든 여성들에게 그리고 모든 사람들에게 용기가 무엇인지를 보여줬다. 6세 가량의 나이에 고립되고 홀로 남겨진 카야는 스스로 저 자신을 지켜냈다. 습지에서 습지의 일부가 되어 살아낸 스스로 키운 용기다. 어쩌면 인간은 누구나 그런 용기를 원초적으로 품고 있을지도 모른다.

잠시 책 내용을 보자

[갈 수 있는 한 멀리까지 가봐, 저 멀리 가재가 노래하는 곳까지. 그냥 저 숲속 깊은 곳, 야생동물이 야생동물답게 살고 있는 곳을 말하는 거야 ~ 시의 단어들은 단순한 말이 아니거든. 감정을 휘저어놓지. 심지어 웃음이 터지게 하기도 해.

바로 그때 한 줄기 바람이 거세게 휘몰아쳐 수천 장의 노란 시카모어

낙엽이 생명줄을 놓치고 온 하늘에 흐드러져 떨어지기 시작했다. 가을의 낙엽은 추락하지 않는다. 비상한다. 시간을 타고 정처 없이 헤맨다. 잎사귀가 날아오를 단 한 번의 기회다. 낙엽은 빛을 반사하며 돌풍을 타고 소용돌이치고 미끄러지고 파닥거렸다.

바다보다 깊은 장소에서, 다시 외톨이가 될 거라는 깨달음에서 오는 두려움. 아마 영원히 혼자일 거라는 두려움. ~ 거절로 점철된 삶이 슬펐다. ~ 외로움을 아는 이가 있다면 달뿐이었다.~ 타인과의 연결~

잠은 카야를 피해 다녔다. 언저리에 주저앉았다가 휙 달아났다.~ 눈부시게 하얀 모래톱이 아늑하게 그늘을 드리운 참나무들 아래 휘어져 있었다. ~ 전화할 사람이 아무도 없었다. ~ 사람들은 그녀 혼자 자기 몸을 방어하며 살라고 저버리고 떠났다. 그래서 이렇게, 혼자 여기 있게 된 거다.~ 갈망으로 점철된 삶에 찾아온 심오한 휴식의 시간이었다. ~ 움직이면 고양이가 가버릴까 무서워서 다리에 쥐가 날 때까지 꼿꼿이 앉아있었다.

혼자서 보낸 수백만 분의 시간으로 수련한 카야는 자기가 외로움을 안다고 생각했다. 낡은 부엌 식탁을, 텅 빈 침실 안을, 끝없이 망망하게 펼쳐진 수풀을 바라보며 보낸 한평생. 새로 발견한 깃털이나 완성한 수채화의 기쁨을 함께 나눌 이 하나 없는 삶. 갈매기들에게 시를 읊어 주던 나날 아무도 나서지 않을 때 자연이 그녀를 기르고 가르치고 보호해 주었다. 그 결과 그녀의 행동이 달라졌다면, 그 역시 삶의 근본적인 핵심이 기능한 탓이리라. ~ 흙 속에 단단히 뿌리를 내리고, 대지의 어머니에게서 태어나서.

저자 델리아 오언스는 외로움이 인간의 본성이라고 말하지 않는다. 심리학적으로, 생물학적으로, 사회학적으로 인간은 외로워서는 안 되는 존재다. 따라서 사회적 약자와 소외 계급을 부당하게 격리하는 차별과 편견이 문제가 된다. 카야의 고립은 사회적 정치적 불의의 소산이다. P.458.]

한때 사랑하여 결혼하고 아버지를 따라 먼 곳으로 온 엄마는 지독한 아버지의 행패를 참지 못하고 집을 떠났다. 큰 오빠가 떠나고 언니가 떠나고 작은 오빠마저 떠나고 그 아버지도 카야를 혼자 두고 돌아오지 않았다. 오두막에 남겨진 카야는 사람들과의 관계, 편견을 뚫고 혼자 살아내는 방법을 터득하며 스스로를 지켜낸다. 습지의 동식물 표본을 만들고 시인이 되었다. 자신을 온전히 지켜낸 이야기다.

책이 던진 화두에서 조금 벗어난 두 가지를 생각해 봤다. 전쟁이 인간의 삶에 미치는 영향과 여러 아이들을 두고 떠난 엄마의 마음이다.

카야의 아버지는 베트남 전쟁에 두 번 참전했다. 그것은 그를 알코올

중독으로 몰았고 한 가정을 폐허로 만든 요소 중 하나다. 전쟁이 한 인간의 생에 그리고 한 가정에 어떠한 영향을 주는지 볼 수 있다. 그리고 한때 사랑을 믿고 남편을 따라 먼 나라 숲속으로 이주한 어머니는 다섯 남매를 두고 떠났다. 떠나서 처절하게 아이들을 그리워하면서도 끝내 돌아오지 못한 이유를 생각해봤다.

남편의 폭력은 그렇게 참혹했을 수도 있다. 하지만 부모와 남매들 모두가 떠나고 여섯 살 소녀가 살아낸 그 습지는 얼마나 공포스러웠을까. 암울한 사회 문화 속에서 홀로 고군분투하는 여성들이 떠오른 것은 너무 큰 비약일까. 그 속에서 한 생을 살아낸 카야는 보는 사람마다 다양한 시각을 안 길 것이다.

제3화 오롯이 몰두하며 읽은

배움의 발견(Educated) - 타라 웨스트 오버 -

지상보다 조금 높은 사무실에 오르면 그 입구에서 뒤돌아 저기 아래 계단을 한 번, 하늘을 한 번 보곤 했다. 파란 아침 하늘과 발아래 펼쳐진 나뭇가지들을 돌아보는 것이 매일 아침의 작은 습관이었다. 돌아서던 발 걸음이 어느 틈엔가 건물 안으로 들어서기 바빠졌다. 다리부터 감겨오는 한기는 어깨를 움츠리게 하고 등을 떠밀었다. 계절이 변하고 있었다.

'배움의 발견'을 처음 읽었던 때는 어디든 다닐 수 있을 것 같은 여름이었다. 한 글자 한 글자를 그렇게 소중하게 읽은 적이 있을까? 곳곳에서 내 아버지와 가족들이 떠올랐고 두 손으로 얼굴을 감싸 안은 적도 많았다. 식탁에서 조차 놓지 못해 냉장고에 넣을 그릇을 엎기도 했다. 눈물이 앞을 가린다는 말을 글을 읽으면서 경험했다.

소설은 저자의 자전적 이야기를 바탕으로 쓴 글이다. 교육이라는 것, 배움이라는 말의 뜻을 새겨보게 되었고 그 의미를 느낄 수 있었다. 무엇보다 계절이 변해가는 즈음에 내가 설 수 있고 나아갈 수 있게 해준 가족을 떠올려 보게 되었다. 담담한 그녀의 말을 옮겨본다.

[우리는 다른 사람들이 우리에게 건넨 전통에 의해 만들어져 왔지만, 고의적으로 혹은 실수로 그것이 어떤 전통인지 알려고 하지 않았다.

나는 우리가 오직 다른 사람들의 인간성을 빼앗고, 그들에게 폭력을 행사하는 것을 목적으로 하는 담론에 목소리를 보태왔다는 점을 깨닫기 시작했다. 그 담론을 확대하고 그편에 서는 것이 더 쉬웠기 때문이다. 힘을 계속 유지하는 것이 앞으로 전진하는 것처럼 느껴지기 때문이다.

무엇을 생각할지를 배우기 위해서 읽었다.

자신이 누구인지를 결정하는 가장 강력한 요소는 그 사람의 내부에 있어요. 자기 자신에 대한 믿음, 그 믿음이 생긴 후에는 그녀가 무슨 옷을 입고 있는지가 전혀 중요하지 않게 되었다.

적극적 자유를 갖기 위해서는 자기 자신의 이성과 감성을 컨트롤할 수 있어야 한다.

'여성들이 너무도 긴 세월 동안 강제당하고 회유당하고 옆으로 밀려나고 여성이라는 미명 하에 일그러져 왔기 때문에 이제는 여성의 타고난 능력과 염원을 정의하는 것이 불가능해졌다.' - 존 스튜어트 밀 -

배움과 아름다움이 연관된 개념이라는 것을 체득하는 것은 어떤 경험일까. 수많은 생각과, 수많은 역사와, 수많은 시각들을 평가할 수 있는 능력이야말로 스스로 자신을 창조할 수 있는 능력의 핵심이다.

나는 아버지가 기른 그 아이가 아니지만, 아버지는 그 아이를 기른 아버지다.

그 이후에 내가 내린 결정들은 그 소녀(16세 타라)는 내리지 않을 결정들이었다. 그것들은 변화한 사람, 새로운 자아가 내린 결정들이었다. 이 자아는 여러 이름으로 불릴 수 있다. 변신, 탈바꿈, 허위, 배신.... 나는 그것을 교육이라 부른다.]

누구보다 지원군이 되고 응원군이 되어야 하는 가족의 의미를 되돌아보게 한 책, 척박한 환경에서도 배움의 끈을 놓지 않고 처절하게 자신과 싸워가고 이겨낸 저자의 모습은 내내 기억에 남는다.

제4화 화려한 원색의 옷이 끌리는 이유

배움의 발견(Educated) 타라 웨스트 오버가 생각난 아침

"나는 아버지가 기른 그 아이가 아니지만, 아버지는 그 아이를 기른 아버지다."

"그 이후에 내가 내린 결정들은 그 소녀(16세 타라)는 내리지 않을 결정들이었다. 그것들은 변화한 사람, 새로운 자아가 내린 결정들이었다. 이 자아는 여러 이름으로 불릴 수 있다. 변신, 탈바꿈, 허위, 배신,... 나는 그것을 교육이라 부른다."

타라가 처음 동네 교회에서 노래인지 발표인지를 할 때 그렇게나 반대하던 아버지는 아껴두었던 정장을 입고 맨 앞줄에 두 손을 모으고 앉아서 듣고 있었다.

"자신이 누구인지를 결정하는 가장 강력한 요소는 그 사람의 내부에 있어요." '자기 자신에 대한 믿음, 그 믿음이 생긴 후에는 그녀가 무

슨 옷을 입고 있는지가 전혀 중요하지 않게 되었다.' 배움과 아름다움이 연관된 개념이라는 것을 체득하는 것은 어떤 경험일까?

오랜만에 넘겨본 노트에 타라 웨스트오버가 쓴 말들이 빼곡하다. 식탁 위에서도 놓을 수가 없었던 책이라 자매들에게 권했었는데 묻혀버리고 말았다. 책을 나눌 때는 뭔가 나누고 싶은 이야기가 있었을 것이다.

자매들과 자랄 때 내 옷 색깔은 늘 어두운 색이었다. 엄마가 여러 가지 색상의 옷을 사 오면 가장 크고 가장 모양이 없는 옷은 내 것이었다. 그래서일까. 생각해 보니 내 아이들의 옷은 분홍색과 노랑색 하늘색이 많았다. 내 마음에 드는 옷을 사 입힌 것 같다.

어른이 되고서도 내게는 주로 남색과 검은색 계열의 옷을 입히다가 어느 날 문득 화사한 색의 쟈켓을 샀다. 입고 보니 그 색상의 옷을 입은 사람들이 많이 보였다. 이후로 꽃자주색 샛 노란색 선홍색 옷도 즐긴다. 전에는 상상도 못 했던 일이다. 살다 보니 이런 신나는 날이 왔다.

'자기 자신에 대한 믿음, 그 믿음이 생긴 후에는 그녀가 무슨 옷을 입고 있는지가 전혀 중요하지 않게 되었다.'라는 타라의 이야기가 이해됐다. 자신감과 확신을 가진 후에는 그 어떤 일에도 개의치 않게 되었다는 말이다. 화려한 원색의 옷이 끌리고 나에게 적용해 본다는 것은 그 시점부터 자신감이 회복되었다는 뜻일지도 모른다. 어울릴까 입어도 될까 과하지 않을까 하는 남의 시선을 밀어 두고 산뜻하고 깔끔하면 허용한 것이다.

작은 변화였고 아무 일도 아닌 선택이었지만 돌아보니 그 미세한 마음의 변화가 몰고 온 기운은 거셌다. 아마 그즈음이었을 것이다. 학창 시절에 배우지 않았던 스피치를 배우러 다니고 독서모임을 하고 영어 회화 공부를 하고 그 모두가 나를 존중해 주기 시작한 증거였음을 이제야 안다.

'배움과 아름다움이 연관된 개념이라는 것을 체득하는 것은 어떤 경험일까?' 이 말의 뜻을 찾아 언젠가 한 번 더 읽게 되겠지만 배움이 주는 여운이 아름다움을 감상하는 여운과 같다는 말 아닐까.

자신감과 확신을 가지는 힘이 자신을 일으켜 세우고 스스로를 귀하게 대하는 에너지가 된다. 그러니까 판단컨대 뭇사람이 원색이라고 표현하는 화려한 옷이 끌릴 때는 자신을 돌볼 에너지가 필요할 때라는 것일 수 있겠다. 늘 감각을 열어놓고 살기. 그래서 스스로를 위한 치유의 노력을 놓지 말기.

제5화 공정하다는 착각에 대하여

공정하다는 착각 - 마이클 샌델 -

여러 사람의 인용에 오르내리는 것을 보면서 '공정하다는 착각' 책 내용이 무척 궁금했다. 어렵지 않을까 하여 정독해서인지 내내 공감하고 탄복하면서 읽었다. 보지 못했다면 어쩔뻔했나 싶었다. 앞뒤 표지에 '능력주의는 모두에게 같은 기회를 제공하는가?', '능력주의는 공정하게 작동하는가?', '공정함이 정의라는 공식은 정말 맞는 건가?'라는 질문을 던져 놓고 있었다.

능력주의라는 말 공정이라는 말 그리고 정의라는 말이 무겁게 다가왔으나 책에서는 조곤조곤 예시를 들어가며 설명해줬다.

마이클 샌델 교수가 바탕에 두고 이야기하는 미국 사회는 들여다보면 볼수록 한국 사회와 너무나 닮았다. 그 사회에서 통용되는 논리는 또한 우리나라에서도 인정되는 논리라고 볼 수 있는 이유가 되었다. 기회는 누구에게나 공평하고 능력을 마음껏 발휘할 수 있는 자유 민주주의 나라 대한민국에 자부심을 가져온 나는 충격이었다. 대학 우월주의와 대학의 세습화, 사립대학의 강세, 비싼 등록금, 학생들의 부채비율 증가, 치열한 대입 경쟁은 대한민국을 이야기하는 것 같았다.

공정한 기회를 똑같이 받고 경쟁해서 최고가 되었다는 능력주의는 사실 모두에게 같은 기회를 제공하지 못한다는 것이다. 자신의 능력으로 최고가 되었다고 자부하는 소수는 사실 공동체와 좋은 부모 등 주위의 운이 따라준 결과물임을 책에서는 보여준다. 그럼에도 소수의 가진 자들은 자신의 능력으로 그 모든 것을 쟁취한 것으로 알고 있고 기회조차 가지지 못한 다수의 사람들을 비난한다. 기회조차 가지지 못한 그 다수는 스스로 자괴감과 자책에 시달린다는 것이다. 이는 결과적으로 포퓰리즘의 반격을 촉발했다는 이야기였다. 능력주의가 승자에게는 오만을 패자에게는 굴욕을 준다는 것은 슬픈 사실이었다.

영국이 왜 브렉시트를 반대하고 EU를 탈퇴했는지 미국에서 왜 트럼프가 당선되었는지 이해하게 되었다. 몇 년 전 우리나라에서 일어난 지하철 10호 출구 사건과 지금도 일어나고 있는 여성을 향한 묻지 마 사건들도 이러한 맥락임을 알게 되었다. 전문가들은 여성을 경시하는 보수적 사회를 문제로 보았으나 이들은 능력주의 사회가 만들어낸 병폐의 한 모습일 수 있음을 알게 되었다.

가진 자는 자기의 능력으로만 이룬 것이 아니라 공동체의 지원이 있었기에 가능했고 좋은 부모, 좀 더 좋은 환경이 따라 준 운의 결과였음을 인지하고 겸손해야 한다는 이야기가 내내 이어졌다. 자칫 경시할 수 있는 노동의 존엄성을 말할 때 정말 감사한 마음을 가져야 한다는 생각이 저절로 들었다.

사회를 발전시키고 더 튼실한 내일을 만들어 가야 하는 세대라면 눈앞에 있는 자신의 이권에만 관심을 두는 것은 아닌지 돌아볼 필요가 있다는 생각이 들었다. 저자가 제시하는 작은 파동이 크게 퍼져나가 자신의 노력으로 최고의 자리에 올랐다고 자만하는 자들이 사고의 전환을 가져보면 좋겠다. 또한 이 파동이 많은 사람들에게 울림이 되어 그중에서도 제도를 만드는 전문가 집단이 소외된 다수의 사람들을 돌아보고 관심을 가지는 계기가 되기를 희망해본다.

모든 노동은 존엄하고 기회와 운에서 조금 밀려난 대다수 사람들도 공동체의 구성원이라는 인식을 가질 수 있도록 존중받는 사회가 되면 좋겠다. 아직 이 책을 읽지 않았다면, 꼭 권하고 싶다.

제6화 형상이 아닌 본질 내 마음은 어디에

삶으로 다시 떠오르기(The power of Now) - 에크하르트 톨레 -

독일 명상가가 쓴 책이다. 수년 전 친구가 자신도 보지 않았다면서 전해줬었다. 한동안 묵혀 두었다가 올여름 끝에 우연히 보게 되었는데 귀한 책을 놓칠 뻔했다. 마음 다스리는 책이라 여겼고 시간 날 때 봐야지 했는데 이즈음 왠지 끌리는 것이었다. 책을 만나는 데에도 인연이 있을까?

아침 수영 레슨에 거의 2시간을 써다가 이런저런 일로 수영을 접으니 1시간이 더 남았다. 그 덕분에 지난 한 주 동안 보게 된 책이다. 퇴근하면 얼른 가서 식탁에 둔 이 책을 보고 싶어 부리나케 돌아왔다. 번역서라 그런지 문맥이나 '고통체'라는 말이 다소 어려운 부분도 있었지만 훗날 또 보면 느낌이 다를 것 같았다. 나도 모르게 우리 아이들에게 필 독을 권했고 몇 사람에게도 소개했다. 오랫동안 품어온 의문의 답도 있었다.

무엇보다 누군가를 미워하는 마음이 생각의 밑바닥 알아차림의 나의 형태라는 것을 알게 되었다. 얼마나 많은 시간을 우리는 생각이라는 틀 속에 갇혀 에고에 집착하며 살고 있는지 돌아보게 되었다. 남을 비난 하는 한 자신의 고통체에 먹이를 주면서 에고에 갇혀 있을 수밖에 없다는 말은 한 대 얻어맞은 느낌이었다. 내가 누구인지 깨닫게 되는 책, 현재의 순간에 살게 하는 책이었다.

당신의 생각은 당신이 아니고 에고이다. 생각에 지배되는 삶이 아니라 자신 내면에서 더 깊은 차원을 발견할 것을 책은 권한다. 그 답으로 현재의 순간에 살라고 조언한다. 현재의 순간은 신이고 깨어남이며 생각과 알아차림의 분리다.

상호 연결성과 전체성을 이해할 때 창조적 힘이 주어진다고 했다. 깨어있는 행동의 3가지로 받아들임, 즐거움, 열정을 꼽았는데 형상 차원에서의 잃음은 본질 차원에서의 얻음이라고 했다. 다시 읽을 때마다 그리고 사람마다 느낌이 다를 것이다.

이야기 중에 아주 오랫동안 의문을 품었던 답도 있었다. 인류 문명은 왜 여성을 그렇게 도외시하는지 늘 궁금했는데 저자는 말했다. 3천만 년 전 3천만 명에서 5천만 명이 넘는 여성들이 마녀로 몰려 화형 당하거나 처형당했을 것이라고. 가톨릭 유대교 이슬람교 불교에서 조차도 여성을 억압하는 역사가 있다고. 그러나 수메르 문명, 이집트 문명,

켈트 문명 등 고대 문명에서는 여성이 존경의 대상이었다고 했다. 남성 안에 있는 에고가 발전하여 이 행성을 지배할 수 있음을 알아차리게 되었다고 했다.

이 행성을 지배하기 위해서는 여성을 무력화시켜야 했단다. 이 에고를 가라앉힐 방법으로 최근 중국에서는 태극권 운동이 일고 있고 요가 기공 등의 영적 수행이 확산 중이라고 했다.

모두가 자신의 에고를 다스릴 수 있을 때 이 행성에서의 끔찍한 성차별 만행도 없어질 것이라는 추측이 가능해진다. 내 생활과 내 생각을 재정립해보는 계기가 되었다. 사람들이 나누는 험담을 떠올리며 부끄러움도 가지게 된 책이다. 무엇보다 내 삶을 다시 시작할 수 있을 것 같아 고마웠다.

제7화 이유 없는 반감이 있다면

짱깨주의의 탄생 - 김희교 -

이유 없는 반감이 있다면 의문을 가져봐야 한다.

TV 채널이 언제부터 그렇게 다양해졌는지 TV에서도 볼거리가 넘쳐난다. 맨정신으로 보아도 별천지다. 때로는 선택 장애를 일으켜 몇 가지 채널로 한정되었던 시절이 그리울 때가 있다. 그러다가 나름대로 TV를 보는 방법을 만들었다. '1번'부터 차례로 채널을 올려보는 것이다. 그 과정만으로도 뭔가 채워진다. 한세상을 들여다본 느낌이랄까. 정보의 바다에서 겨우 정신 차리는 모습이다.

채널 '50번' 대를 넘어서면 시절 지난 옛 드라마부터 중국 영화를 많이 볼 수 있다. 언제부터인지 모르게 중국 영화 채널을 보면서 언짢아해 왔다. 동네에서 가장 많은 산이 '무슨 산'이냐는 질문에 '중국산'이라는 우스개에서는 언짢음을 더 얹었지 아마. 정확한 통계와 사실 확인을 거치지 않고 무의식 중에 가진 감정이었다. 몰랐다. 매일 접하는 뉴스와 정보들에 익숙해지며 은연중 그런 의식이 생겼고 의문도 가져 보지 못했다는 것을.

책은 '650페이지'에 달하는 글이라 들고 다니기도 불편하게 해 놓았다. 어쨌든 그 글을 다 읽게 만들고 있으니 반도 못 읽고서 이런 나를 돌아보게 했으니 저 책은 성공했다. 미세먼지를 일으키는 원인을 우리나라에서부터 찾아봐야 한다는 자성의 목소리와 '중국발 미세먼지'라는 말이 맞는지 의문을 가지게 만들었다. 한때 제주도가 중국땅이 되지 않을까 걱정했던 것이 얼마나 우스운 일인지도 알게 되었다.

지금 혹시 무언가에 이유 없이 반감이 생기는 일이 있다면 이게 맞는 생각인지 의문을 가져봐야 할 것이다. 이 말은 이유 없이 미운 사람에게도 적용되겠다. 그 미운 사람에 대한 질투가 원인일지도 모른다. 단순한 개인적 질투만으로 끝나지 않고 사회분위기를 조장할 일이라면 그런 세태는 커다란 문제다. 넘쳐나는 정보도 제대로 보고 듣고 읽어야 하는 이유가 되겠다.

그런 의미에서 브런치스토리에서 만나는 작가들의 글과 추천 도서는 숨겨져 있는 보석들을 캐내는 과정 같다. 지난해 4월에 나온 신간 '짱깨주의의 탄생'을 추천한 브런치 작가님(누군지 모름)과 그 책을 쓴 '김희교'님께 감사한다. 오늘도 무거운 책을 보듬고 퇴근하여 몇 장이라도 볼 생각에 신이 난다.

제8화 작별하지 않겠다는 말

작별하지 않는다 - 한강 -

세월이 아무리 흘러도 놓지 못하고 시간이 아무리 지나도 놓아지지 않는 일들이 있다. 그런 일은 개인사에서도 한 나라의 역사에서도 세계사에서도 볼 수 있다.

작별은 어떠한 일의 끝을 말한다. 그렇다면 작별하지 않는다는 말은 끝내지 않겠다는 누군가의 의지다. 일이 마무리되어 정리되고 끝이 났음에도 그 언저리에서 마음은 마무리를 하지 않겠다는, 마무리를 하지 않았다는 아니 그럴 수 없음을 뜻하리라.

홀로 작별하지 않겠다는 것인지 누구나가 다 작별하지 않을 것이라는 것 인지, 쉬 작별할 수 없음을 낱낱이 증명해 보이겠다는 것인지. 책을 따라가 봐야 안다.

'작별하지 않는다'는 그 마지막인 것 같다. 한 세대에서 끝날 수가 없는 너무나 큰, 여전히 진행 중인 상흔이다. 현실과 관념을 오가며 이야기를 풀어냈다. 그렇게 여겨야 이야기가 이해된다.

맨정신으로는 도저히 그릴 수 없는 사실을 작가는 독특한 구상으로 이야기를 전해준다. 4.3 사태라는 말로만 들었던 이야기가 바로 옆의 내 가족과 친척이 겪은 일처럼 아려왔다. 역사적 사실을 열병을 앓듯 빨려 들게 하고 이해시켜주기도 한다. 한 여름에 가슴에 뜨거운 돌을 하나 얹은 듯했고 몇 날을 오고 가는 걸음걸음 불에 댄 듯이 뜨거웠다. 슬펐다.

[돌아와 앉자 식탁 위에 초가 미세히 짧아져 있었다. 서너 가닥의 촛농 줄기들이 초의 기둥으로 흘러 맺혀 있었다.

'.... 누군가 더 있는 것 같을 때가 있어.'
작은 돌기들 같은 그 촛농 방울들로부터 눈을 들며 인선이 말했다.

계속해서 엄마는 물었어.
'그 어린것이 집까지 이어오멍 무신 생각을 해시크냐? 어멍 아방은 숨 끊어져 그네 옆에 누워 이신대 캄캄한 보리왓에서 집까지 올 적어난, 심부름 간 언니들이 돌아올 걸 생각해실 거 아니라? 언니들이 저를 구해줄 거라 생각해실 거 아니라?]

32

잊지 말아야 할 사실도 있음을 배웠다. 무거운 과제를 맡은 듯도 했다. 그런 사실을 기록하고 나누고 공감하는 것은 이제는 그런 일들이 없어야 하기 때문이리라. 그런 작업을 소설을 통해 완성해 준 한강님께 감사드린다.

제9화 이토록 섬세한 소설이라니

카라마조프가의 형제들 1 - 도스토옙스키 -

몇 번이나 도전했다가 중도에서 이탈했던 소설 그 1권을 털었다. 전 3권 중에 각 권의 부피도 상당했다. 간혹 다른 생각을 하다 오면 맥을 놓치는 부분도 있었지만 끈질기게 읽은 덕분인지 아주 천천히 그림이 그려졌다. 책을 읽는 것은 특히나 장편소설을 읽는 것은 이렇게 천천히 그림을 그려가며 보는 영화 같다.

한 스토리를 읽고 듣고 이해하기 위해 얼마나 지난한 글들을 읽어 내려가야 하는지. 그럼에도 그러고도 남을만한 뭔가를 기대하기에 꿋꿋이 읽어간다. 드디어 그 알뿌리를 캐낸다.

"이렇게나 감정을 묘사할 수 있다니."

카라마조프가의 형제들 1권을 거의 다 읽은 즈음 그 알뿌리의 윤곽이 나타났다. 책은 읽는 사람의 그릇대로 읽힌다는데 읽는 자가 아는 만큼, 볼 수 있는 만큼만 볼 수 있다는데 어딘가 놓쳤을 수도 있겠다.

무작정 읽는다고 모두에게 같은 감동을 주진 않는다. 그래서 책은 신비로운 것이리라. 독서량이 사람을 키우기도 하지만 큰 책을 즐기려면 그만큼의 식견이나 안목도 기여함을 상기한다. 그런 의미에서 2권, 3권도 마음을 다해서 샛길로 새지 않고 집중하며 읽을 참이다.

1권에서 멈추면서 본 주인공들의 대사다.
["무엇 때문에 당신은 그자를 그토록 증오하는 것이오?""바로 이래서지요. 사실, 그는 나에게 아무 짓도 하지 않았지만 대신 내가 그에게 정말 파렴치하고 추잡한 짓을 하나 저질렀고, 그렇게 되자마자 곧바로 바로 이 때문에 그가 증오스러워지더군요""이제 와서 명예를 회복하긴 글렀으니 그래, 저놈들에게 파렴치할 정도로 침이나 뱉어 주자. 네놈들 따윈 부끄럽지도 않아. 그뿐이야!"]

어찌 저런 마음을 먹는단 말인가. 나쁜 짓을 한 놈이 한 술 더 뜨는 형국이 아닌가. 책을 읽다가 멈추는 부분은 사람마다 다를 것이다.

어느 시대이건 사람과 사람이 만나는 관계는 복잡하다. 진실은 가만히 둔다고 빛을 발하는 것이 아니고 끊임없이 알리고 외어야 할지도 모른다는 생각이 들었다. 마치 가구에 쌓인 먼지를 매일매일 닦아야 하듯이. 그건 참 슬픈 일이다. 바른 일을 하고 있소라고 어찌 늘 외며 산단 말인가. 외지 않아도 알고 있으리라 여겼지만 말하지 않으면 그냥 두는 정도가 아니라 아예 평가절하고 비판을 하는 경우가 이 현실에서도 비일비재하니. 그러는 자들이 아직 젊은 사람이면 모를까 머리 하얗고 한자리하는 자들이라면 그 애석함은 더 크다. 이 무슨, 이런 현실을 책에서도 발견하다니.

["당신에게 형이 필요한 건 당신이 얼마나 대단할 정도로 신실한지를 지켜보면서 동시에 형이 얼마나 신실하지 못한가를 꾸짖기 위해서죠. 이 모든 것이 당신의 오만함에서 비롯되는 겁니다."(이반이 - 카체리나 이바노브나에게 한 말)]

오만함이라는 말의 뜻을 떠올려 본 부분이다. 카체리나 이바노브나는 정말로 미첸카를 사랑하는 것일까. 사랑이라는 건 자신의 오만한 독선과 고집으로도 키워지는 것인가?

["이 세상의 모든 사람들이 무엇보다도 삶을 사랑해야 한다고 생각해" -알료샤]

삶은 사랑해야 하는 것이구나.

36

["사람을 사랑하기 위해서는 그 사람의 모습이 감추어져야 돼. 조금
이라도 얼굴을 보이면 사랑은 사라져 버리거든."]

사람을 사랑하기 위해서는 경우에 따라 자신을 숨겨야 할 수도 있겠
다.
영리한 사람과는 얘기를 나누는 것도 흥미롭다고 했다.

제10화 서로들 자기가 죄인이라는데

카라마조프가의 형제들 2, 3 - 도스토옙스키 -

서로들 자기가 죄인이라는데 그 모습이 아름답다.

'나는 내가 해야 할 일을 했을 뿐인데
아무도 하지 않는 일, 해야 했기에 나의 직을 걸고 의무를 다했을 뿐
인데
왜 갑질 신고를 당하고 인권 침해 제소를 당해야 하냐'(상사의 말)고
몇 날을 생각해도 답을 찾지 못하는 사람들이 요즘 늘어난다.

'정해진 법에 어긋나지 않고 지금까지 해 온일 알아서 하고 있는데
내가 뭘 잘못했는지 말씀을 한 번 해보시라고요.
근무 시간 내에 업무로 만난 사람이 프라이버시 침해하면 버겁다고요.
친한 척도 말고 일거리도 좀 만들지 마세요.' (직원의 말)

도스토예프스키의 '카라마조프가의 형제들'을 읽으면서 "아버지와 아들이, 또 아들끼리 이렇게 복잡하게 얽힐 수 있나" "참 황당하네"가 솔직한 첫 생각이었다. 책을 따라가면서 손뼉을 치기도 하고 혼자 박장대소를 하며 읽은 이야기는 다양한 생각 고리를 풀게 했다. "한 세기도 전의 그때 사람들이나 지금이나 생각은 별 차이가 없구나"싶었고 어떤 사안에 있어서는 사람들은 굳이 이야기하지 않아도 나눠 갖는 게 있다 싶었다. 물론 치밀하게 그 생각들을 글로 묘사해 낸 도스토예프스키에 탄복했다. 19세기 중반 러시아 사회 모습도 보고 러시아라는 나라를 곰곰이 생각해보게 한 작품이다. 그러니 글로서 작가는 자기 나라를 알린 애국자가 된 것이기도 하다.

극단적이고 격정적인 성격을 조프가의 선천적 특성이라며 러시아인의 특성으로 그렸지만 후세인들은 또한 인간적 특성이라고 한다. 모든 인간이 가진 특징, 자신의 욕망에 충실하고 선과 악을 넘나드는 모순적 특징말이다.

어쨌거나 황당한 설정 못지않게 아버지가 살해당하는 줄거리는 두꺼운 책이지만 한번 잡으면 다른 책을 볼 여지를 주지 않았다. 형제뿐 아니라 그루센카(아버지와 첫째 아들 미챠가 빠진 여인) 까지도 본인이 죄인이라고 주장한다. '죽이고 싶었으나 죽이지 않은 사람과 죽이지 않았고 그저 죽음을 바랐던 사람', '살인을 저지른 사람'이 죄인일진대 그 범주에 든 사람들은 다 자기가 죄인이라고 한다.

의도만으로도 죄가 된다고 생각한다. 그건 둘째 아들 이반이 의도한 죄의식으로 정신분열증에 시달릴 수 있음을 그려낸 부분에서 잘 드러 났다. 흥미진진한 구조와 줄거리에 녹아난 작가의 메시지를 생각해 보 는 중이다.

사람과 사람의 사회적 관계는 세월이 흘러도 여전하고 사회에는 말하 지 않아도 통용되는 것이 있다. 생각을 실행하지 않아도 죄라고 여기 는 사람들이 있는데, 지금 현실에서는 자신이 실행한 행동을 서로 죄 라고 여기지 않는 경우가 비일비재하다. 드러나는 생각을 행동으로 실 행하고서도 잘못했다는 사람이 없다.

소속인으로 소속집단에 기여해야 하는 의무를 저버리는 행동도 지위 고하를 불문하고 만연하다. 나부터 돌아볼 일이지만 대사에서 줄거리 에서 끊임없이 뭔가를 이야기하는 이런 책은 정말 너나없이 한 번쯤 읽어보아야 할 듯하다.

II 글사랑

펜을 들면 뭔가 쓰고 싶지 않으십니까?

한 줄 두 줄이 메모가 되고 책 리뷰가 되고 그러다가 옛 이야기도 쓰게 되었습니다.

2020년 국민독서문화진흥회가 주관하는 '전국 고전읽기 백일장'에 우연히 원고를 내게 되었고 예선을 통과하고 본선에 3번, 그렇게 3년을 연달아 참여했습니다. 그 과정의 이야기도 담았습니다.

'네가 오기 전에 엊그제는 저쪽 나무에 누가 꽃을 소쿠리째 갖다 부은 것 같았다'

제11화 어릴적 우리집 꽃나무들

유달리 올봄에는 비가 많이 온다. 막 피어나는 목련을 으레 한두 차례 얼리던 날씨와 달리 올해는 잦은 비 끝에 오는 추위도 그렇게 혹독하지 않다. 나는 봄비가 오면 씨앗 뿌리기 좋다고 벙글거리고 야산의 나무들이 해갈하겠다고 좋아한다. 이런 마음은 계절의 흐름이 느껴지는 나이에서 가지는 오지랖일지도 모르겠다.

밋밋하던 가지 끝에 촉촉하니 새순이 돋는 봄이 오면 어릴 적 우리집 마당에 있던 나무들이 떠오른다.

초등학교 때 이사한 우리 집 마당에는 나무가 많았다. 유아 시절부터 살던 집은 산 밑의 동네여서 밤낮으로 나무를 보고 살았으나 새로 이사한 집은 마당의 나무들이 가까이 있는 작은 산인 셈이었다. 마당에는 잘 다듬어진 편백 나무부터 키 큰 나무들까지 다양하게 있었는데 대문 옆으로는 훗날 우리 자매들의 대화에 자주 떠오르던 앵두나무, 감나무가 있었다. 처음 이사를 하고는 나무들의 새잎이 나면서 대략 무슨 나무인지 알 수 있었는데 커다란 상록수 외에는 거의 꽃나무가 많았다. 이사한 즈음 친구들과 담장 너머로 길게 늘어진 나뭇가지를 잘라 놓았는데 이듬해 그 가지마다 노랗게 꽃이 달리는 것을 보고 어린 마음에도 그렇게 안타까울 수 없었다. 그 가지는 개나리꽃이 필 예정이었던 것이다.

초봄 잎이 나기 전에 조그만 포도송이같이 오목조목한 천리향이 가장 먼저 피었는데 그 향이 얼마나 향긋하던지 천상의 향기가 그러할까? 촘촘하니 매달린 봉오리는 짙은 보라색이지만 참새 주둥이처럼 작은 송이들이 활짝활짝 벌어지면 모두 연 분홍색이 된다. 여남은 개의 꽃송이가 오종종 모여 한 송이를 이루는 꽃이다. 마당에서 가장 먼저 봄을 알리던 그 천리향은 수십 년간 우리와 함께 있다가 스러져 갔는데 지금도 친정집 하면 그 당시의 천리향이 제일 먼저 떠오른다. 아래채 연탄아궁이를 정원 쪽으로 내면서 천리향 뿌리가 다 내려앉은 것을 미처 몰랐다고 엄마는 아쉬워하셨다.

아직 초록 잎이 나기도 전에 손톱만 한 봉오리가 자라기 시작하여 손가락 마디만 하게 자라서 어느 날 그 봉오리가 펼쳐지는 꽃나무가 있다. 그게 바로 초봄 산야의 진달래를 닮은 철쭉이다. 우리 집 마당에는 철쭉, 영산홍과의 꽃나무가 유독 많았는데 가장 먼저 피어나는 새빨간 철쭉을 시작으로 한여름을 지나 늦여름까지 피었다. 새하얀 것에서부터 봉오리 몸체는 흰색인데 꽃 가장자리만 빨간색으로 물들인 것도 있었고, 흰색인 듯한 연 분홍색과 정말 분홍색에서 보라색까지 있었다. 꽃송이의 크기도 다양했다. 활짝 피어도 손가락 마디만 한 작은 송이부터 아이 손바닥만 하게 너풀너풀한 것도 있었다. 봉오리 몸체는 흰색인데 꽃잎 가장자리만 붉은 철쭉이 벙글벙글 피어있는 모습은 무궁화 같기도 하고 나팔꽃 같기도 하여 매년 언제 피려나 하고 가장 기다리는 꽃이었다.

어느 날엔가 작은아이를 데리고 집을 방문했을 때 철쭉이 너무나 이쁘다고 웃음을 머금던 엄마의 얼굴이 지금도 눈에 선하다. 우리가 없어도 꽃나무들과 화초들이 주는 소소한 행복이 있어서 참 다행이다라는 안도감이 있었다. '네가 오기 전에 엊그제는 저쪽 나무에 누가 꽃을 소쿠리째 부은 것 같았네'라 하셨다. 이른 봄 천리향 다음으로 먼저 피는 선홍색 철쭉이 두 그루 있었는데 아직 잎도 나기 전에 마른 정원에 꽃을 무더기로 피워서 그렇게 설레게 했다. 여름으로 갈 즈음 붉은색과 또 다르게 밝은 진보라색 철쭉이 피었는데 어느 화가가 그런 색을 만들 수 있을지 보는 사람으로 하여금 입을 다물지 못하게 하는 화려함을 가지고 있었다.

우리가 모두 그 집을 떠나온 뒤에도 부모님은 30여 년 넘게 그 집에 사셨고 오랜 설득 끝에 드디어 아파트로 이사를 할 즈음 나는 꽃나무를 세어본 적이 있다. 철쭉만 열세 그루였다. 집하고 같이 헐기 아까워 그 당시 어떤 농원에 옮겨갈 것을 요청했는데 그때 전화번호를 보관하지 않은 것은 오래도록 후회가 되었다. 내 생에서 내 부모님 두 분이 산자락에 가서 나란히 누워 계시는 날이 오리라는 것을 미리 알았다면 그 꽃들을 고이고이 키웠다가 그 산허리에 심어 드렸을 것이다.

여름에 접어들면서 정원의 가운데쯤에 선 잔가지가 장미꽃임을 알았다. 지금이야 꽃집에 가면 지천인 장미지만 초등생들이었던 우리 눈에는 마당에 선 장미가 저절로 환호성을 자아내게 했다. 분홍색 장미였는데 우리가 멋모르고 가지를 많이 자르는 바람에 겨우 서서 몇 송이를 피워 올린 것이었다. 통통하니 탐스럽던 장미는 몇 송이만 피어도 그 존재감을 떨쳤고 계절 없이 피었던 것 같다. 눈이 와서 꽃송이가 얼었다는 기별에 어느 날 밥을 먹다가 다들 숟가락을 놓고 나가서 들여다봤다. 정원의 중간쯤에 장미를 심은 전 집주인은 아마 가장 눈에 잘 띄는 곳에 장미를 심었던 것 같다.

들여다보며 이뻐하고 안쓰러워하던 그때의 내 나이는 몇 살쯤이었을지. 흙 한번 밟지 못하고 자란 우리 아이들이 안타까워서 나는 아파트에서 화초를 키우게 되었는지도 모른다. 아무리 아파트 화분에 화초와 나무를 많이 키운 들 흙을 밟고 산야의 나무를 쓰다듬는 감동을 따라갈 수 있을까? 걸어서 한 시간이면 낮은 산이나 공원에 닿을 수 있는 중소도시에 살지만, 아이들이 고등학교를 졸업할 때까지 늘 시멘트 바닥만을 밟게 했다는 것을 한참 뒤에야 알게 되었다. 아이들 성장기에 좀 더 자주 자연으로 이끌지 못하여 아쉽기도 하다. 우리 아이들이 자라면서 자연에서 감성을 키우고 산천에 대한 정감을 가지기를 늘 바라 왔다.

정원 가운데 장미 옆으로 동백나무가 있었고 그 뒤로 이름 모를 큰 나무들이 담장을 따라 총총히 서 있었는데 맨 끝에는 후에 화단 전부를 덮을 만큼 자랐던 나무가 있었다. 바로 목련이다. 나무들이 너무 웃자라 담장을 무너뜨릴 지경이 되었다고 걱정하시던 아버지 말씀이 생각난다. 초로의 아버지가 나무를 베어내고 비닐을 덮어 뭔가로 눌러놔도 봄이면 새순이 또 자란다고 하셨다. 힘들다고 하신 말씀이실 텐데 안된 말이지만 그때 나는 나무가 다시 자란다는 말이 참 반가웠다.

어른 손바닥만 한 목련꽃이 온 마당에 떨어지면 누군가 밟고 넘어질까 하여 엄마는 마당과 골목까지 비로 쓸어 담고 물로 닦으셨다. 고단하고 힘드실 텐데도 이웃이나 아래채에 드나드는 사람들을 위하여 치운다고 하셨다. 그런데 몰랐다. 부모님의 마음을 헤아린다고 생각하며 살았는데 부모님이 보내신 나이를 거치면서야 나이가 주는 고단함을 느끼며 이런 마음이셨을까 깨달으면서 산다.

어린 시절 이사했던 집의 그 아기자기하던 나무들, 알록달록 철 따라 피던 꽃들만큼 소소하던 우리 성장기는 그렇게 나무로 둘러싸여 있었다. 산속에 있는 논밭에서 일도 도왔고 언덕배기 유실수에 복숭아, 자두 같은 과실을 따러 가기도 했었다. 그 집, 그 나무들이 모두 변하여 갔지만 과실과 앵두를 따 먹던 기억은 지금도 애틋하다.

유년 시절을 보낸 산 밑 동네에선 여름밤에 둑의 평상 위에 온 동네 어른들이 모였었고, 그 뒤쪽 산길 논에서는 밤새도록 개구리가 울었다. 아마 농번기즈음 이지 않았을까. 물질적으로 풍족하진 않아도 산과 나무가 주는 여유로움과 넉넉함이 늘 함께했었다. 내 유년 시절과 학창 시절을 보낸 그 동네는 이제 산도 나무도 많이 줄어들었고 함께했던 부모님도 모두 가셨지만, 마음속 그 풍성함은 철 따라 늘 다시 내게 돌아온다. 해마다 계절의 변화와 함께, 꽃이 피고 지는 나무들의 싱그러움과 함께 내 아버지 어머니의 추억도 되살아난다. (2020. 3.)

제12화 엄마와 같이 가던 그 길에서

주말을 보내고 일터로 향하는 일요일 저녁 운전 길은 이제 나에게 아늑한 시간이다. 낮 시간의 주차량을 감안하여 9시경에 접어드는 고속도로는 익숙하게 한 갈래로 내 앞에 놓여있다. 진주 집을 나와 직장의 숙소가 있는 창원까지 시속 80킬로미터를 놓고 가는 속도가 이제는 편안함까지 준다. 가끔은 숙제하러 가는 아이 같은 마음이 들지만 나를 기다리는 생활 속으로 꿈꾸듯 간다.

이 길에서 사계절을 맞이했다. 바람에 윙윙 날리는 가루 먼지가 차창을 때리던 가을밤에 내 전조등만을 비추며 가던 날도 있었고, 바닥이 축축한 고속도로에서 온 차가 젖은 채로 차창에 뿌리는 빗물을 닦아가며 가던 여름밤도 있었다. 봄날이던가? 까만 밤에 희뿌옇게 벚꽃이 흐드러졌던 날에는 뒷머리가 쭈뼛해지다가 우와! 혼자 감탄도 했다. 창 위 저만치 하늘가에 동그랗게 뜬 달이, 산자락의 선을 미미하게 그려내던 밤에는 도대체 이 차가 어디로 가는지 꿈길 같다가 퍼뜩 정신을 차리면 저기 좀 보라고 누군가에게 두드려 알려주고도 싶었다.

코로나19로 여행도 만남도 저어지고 TV 앞에서 시간을 보낼 때 다들 즐겨 보던 노래 프로그램이 있었다. 노래를 그렇게 온 정성을 다해 부르는 것을 처음 본 듯했다. 문득 아! 나는 저만큼 내 일에 온 정성을 다하고 있나 하는 생각이 들었다. 트롯이라는 장르의 노래는 저렇게 온 마음을 다해 불러서 절절하게 다가오나 싶었다. 마치 조곤조곤 이야기를 들려주는 듯 마음을 다독여주고 위로해주는 느낌이었다. 한 소절 한 소절이 귀로 들어와 눈물이 나는 것은 나이 듦에서 오는 겸허함일까도 싶었다. 홀로 나선 길 위에서 듣는 그 노래가 또한 친구가 됐음은 당연하다.

학창 시절 야간 자율학습을 마치고 귀가하여 안방 문을 열고 인사를 하면 아버지는 그 시절 "가요무대"를 즐겨 보고 계셨다. 무슨 재미로 보실까 늘 신기했었는데 오십을 넘긴 이제야 아버지가 이해된다. 그 노래를 들으며 농사철의 고됨도 잊고, 없는 재산에 옹기종기 대학 공부시키느라 졸라맨 허리띠도 잠시 놓고 어쩌면 나날이 달라지는 체력을 느끼며 나처럼 부모님을 떠올리셨을까.

주말에 집 거실에서 TV로 보고 듣는 트롯의 재미를 같이 사는 사람도 이해하면 좋을 텐데, 감동을 나누고 재미를 공유하기에 너무 다른 취향으로 나이를 먹어간다. 공감하고 나누며 사는 사람들이 부러울 때가 있지만 이 또한 나의 길이거니 이해한다. 길 위에서 듣는 음률이 있는 이야기, 그 노래는 여러 가지 색깔로 그렇게 나에게 다정하다.

진성을 지나고 지수 사봉을 지나면 군북 IC를 가리키는 샛길이 나온다. 모친에게 한글을 배우셨고 살면서 수치를 터득하셔서 시외버스 번호를 읽으며 막내딸의 근무지인 양산까지 다녀오시던 내 엄마의 고향이 군북이다. 저 길로 접어들었던 때가 있었다.

큰아이 낳기 전 어느 주말 토요일이었을까. 엄마를 모시고 저 군북 IC 샛길로 접어들어 군북 장터를 지나 함안 가는 길에 있는 외할머니 댁에 간 적이 있다. 그때 엄마는 우측에 앉아서 외가까지 너무도 능숙하게 길을 안내했다. 그날 엄마의 바람은 시골집에 있는 구순 모친을 내 차에 태워서 장터에 있는 뜨끈뜨끈한 목욕탕에 모셔다가 목욕재계를 시켜주는 것이었다.

산달이 다가오던 나는 한 시간여를 밖에서 차를 대고 기다렸다가 두 볼이 빨갛게 익은 모녀를 내 차에 다시 태워 외할머니댁에 모셔다드렸다. 행복해하는 엄마를 진주 집에 내려 드리고 돌아오면서 그날 나의 임무는 마무리되었다. 엄마가 좋아하시니 그냥 다행이고 좋았다. 이 길을 오며 가며 엄마가 얼마나 많이 고마워하고 즐거워했는지 구체적인 상황은 이제 기억에 없지만, 여전히 나는 가슴이 벌렁벌렁한다.

그 이후 막냇동생이 창원에 근무할 때, 진주에서 창원으로 당일 출장을 가는 길에는 늘 엄마를 모시고 이 길을 오갔다.
"엄마! 내일 창원 출장가는데 현정이한테 갈래요?"

"오야, 그럼 내 퍼뜩 반찬 몇 가지 만들 거마!"
엄마는 너무도 반가워하셨다. 다음 날 아침 일찍 엄마 집 앞으로 가면 그 아담한 모친은 어김없이 작은 보자기 같은 가방을 들고 골목 앞에서 나를, 내 차를 기다리고 계셨다. 더 일찍 가도 엄마는 언제나 먼저 나와 계셨다.

출장 일을 마치고 다시 동생 자취방에 들러 엄마를 픽업하여 오던 길. 아버지 가시고 혼자 남은 모친이 요양병원에 계실 때 희미해져 가는 정신 속에서 문득 창원 오가던 그때가 참 재미있었네라 하셨다. 가며 오며 두 시간 넘도록 웃고 떠들며 보냈던 그때 평소에도 나는 온전히 제대로 된 시간을 한 번 내드리지 못하고 산 것이다. 직장 다닌다고, 애 키운다고, 내 살림 산다고 늘 자투리 시간만 내어 드렸다. 늦은 깨달음에 목이 멘다.

군북을 지나면 함안 휴게소가 나오고, 이제는 진주보다 창원에 더 근접한 땅이 된다. 진주를 떠나왔다는 아련한 통증 같은 것이 느껴지면서 내 일터 창원에 대한 무게감이 구체적으로 묻어온다. 설렘도 있고 반가움도 조금 있다. 오르락내리락 굽이 굽이를 몇 차례 하면 드디어 창원 터널을 통과하고 곧이어 우측 창원 부산 톨게이트를 통과한다. 이제 여기서부터는 더 이상 진주에 대한 미련을 버려야 한다. 여기까지 온 마당에 돌아갈 수 없음이 확실히 느껴진다. 자각이랄까. 새로운 땅에 대한 마음을 구체적으로 먹게 된다.

거기서부터 다시 거의 15분가량 남은 국도를 열심히 달린다. 곧장 큰 길로만 가야 진해 마산으로 빠지지 않는다. 그렇게 한 굽이를 돌아서 또다시 우측으로 동마산 IC를 거꾸로 접어든다. 이 곡선 거리를 너무나 유연하게 내 차는 찾아간다. 돌아 돌아서 180도 회전을 하면 뭔지 모를 울음이 받히는 때도 있다. 그대로 직진하여 드디어 창원 대교를 건너면 그 끝자락에서 우측 창원대로는 바라보지 않아야 한다. 넓은 땅 창원 계획도시 대로에서 쭉쭉 뻗은 그 길에 매료되어 혹시 발을 들여놓으면 나 같은 길치는 너른 벌판에서 헤매다가 미아가 되기 십상이다. 그냥 고개를 똑바로 세우고 앞만 보면서 직진하여 김해 방향으로 나아가야 한다.

앞만 보고 나아가는 와중에도 끝없이 유혹의 이정표는 붙어있다. 도청도 오른쪽, 시청도 오른쪽, 교육청도 오른쪽. 내비게이션이라도 켜 둘 경우에는 쉴 새 없이 오른쪽으로 접어들 것을 안내한다. 길은 정말 인생길과 똑 닮았다. 그러나 일편단심 일직선으로 가다 보면 도시 건물이 차츰 줄어들고 외곽으로 접어든다. 좌우로 들판을 끼고 휘휘 나아가다가 두 개의 고가도로 밑을 지나는 지점에서 최 우측으로 차를 붙여야 무사히 정병산 터널로 진입할 수 있다.

처음 이 길을 오갈 때 어느 날 저녁 10시를 지나 집을 나선 날이 있었다. 터널 입구에서 벌써 11시가 한참 넘었음을 알았다. 터널이 제법 긴 탓에, 차 한 대 보이지 않고 내 차만 가고 있었던 탓에 핸들 잡은 양손에 힘을 싣고 숨도 안 쉬고 앞만 보고 달렸었다. 이제는 일러줄 부모도 없고 이 나이에 무섭다고 울 수도 없고. 그리하여 이후로는 늦어도 저녁 9시에는 집을 나서게 되었다.

정병산 터널을 통과하자마자 첫 번째 갈림길에서 나와 우측을 돌면 바로 밑에 내 직장 내 숙소가 있다. 일터가 한눈에 보이는 곳, 경치를 관망하기에 최고로 좋다는 곳 그 건물에 내 방이 있다. 같이 왔던 친구는 본 부서로 귀환했고 뒤이어 전국에서 온 친구 몇몇도 떠난 숙소는 늘 휑한 느낌이 난다. 그래도 새로 온 친구들의 차가 주차되어 있으면 일요일, 까만 밤에 도착한 일터가 다소 위안을 준다. 이제는 계단 저쪽 아래에서 올라오는 돌출된 손잡이에 흠칫흠칫 놀라지도 않는다. 일주일 먹거리와 새 옷을 들고 언젠가부터 센스등이 고장 나 컴컴한 계단을 조심조심 오른다. 이 길도 내가 선택한 길, 내게 주어진 길이 아니겠나. 그렇다면 지금 이 한발자국에 온 정성을 다해 걸어가야 한다. 또다시 시작되는 한 주도 그렇게 걸어갈 것이다. 다짐하며 숙소 문을 연다. (2020. 8.)

제13화 하고재비

함께해서 좋은 책 읽기 모임

눈을 뜨는 순간부터 우리는 말로 하루를 시작한다. 가족과의 대화부터 이웃, 직장 동료, 더 나아가 세상과 접하는 모든 것이 말이고 그 말들을 활자화한 것이 글이다. 그러다 보니 30대에도 50대에도 서너 명 이상 모이면 내 주위에는 자연스럽게 책 보는 모임을 해보자는 제안이 많았다.

막 40대에 접어든 즈음이었나 보다. 나보다 연배가 많은 선배 언니가 독서모임을 하자고 했다. 그리하여 각자 추천해서 인원을 모았다. 모과에 근무하는 모씨, 모 모과에 근무하는 모모 씨 그렇게 7명이 되었다. 어느 날 다들 모여 앉아 첫 이야기를 나누는데 스피치를 배우는 사람, 기타를 배우는 사람 등등 하나같이 뭔가를 해보고 싶어 하는 하고재비 맘들이었다. 그리하여 그날 우리 모임의 이름은 자연스럽게 "하고재비"가 되었다.

그때나 지금이나 3~40대 엄마는 늘 바빴다. 퇴근 후와 주말은 더 바쁘기에 만나는 날을 월 2회 평일 하루 점심시간으로 정했다. 모두들 뭔가를 읽고 이야기하고 싶어서 모인 사람들이다 보니 초창기에는 정말 시간 가는 소리가 쌩쌩 들리는 듯했다. 그러나 한 회사 내의 모임이고 부서마다 업무의 특성상 전원 참석은 쉽지 않았기에 2년여를 못 채우고 모임을 접게 되었다. 하지만 그때의 기억은 각자의 글 읽기에 씨앗이 되었다고들 한다.

우리가 처음 선택한 책 읽기 방법은 각자가 선택한 책을 공지하고 자기가 읽은 책의 내용을 파워포인트로 정리하여 소개하는 시간을 갖는 것이었다. 업무에 도움이 되는 파워포인트 작성 능력도 기르면서 발표하는 실력까지 키우자는 목적이 있었다. 읽은 내용을 사람들 앞에서 이야기하고 발표하는 시간을 서로 가진 것이다.

월 1회는 영화를 보고 적어도 분기마다 한 번은 야유회를 가자고 하였으나 꼭 한번 단체 영화를 보았다. 바쁜 날들 속에서 집안일과 아이들을 다독여 놓고 귀한 주말에 영화관에서 만난 우리는 사진 속에서 얼마나 젊었던지, 얼마나 행복해하는지, 살면서 간간이 들여다보면 늘 가슴 가득 차오르는 뭔가가 있었다. 누군가의 아이디어로 연도 말에는 각 개인에게 시상식을 했다. 본인이 받고 싶은 상을 만들어서 '최우수 엄마상', '나무사랑 표창장' 등등을 서로에게 수여하고 같이 사진도 찍으면서 다들 얼마나 많이 웃었던지. 그때 우리 젊은 엄마들은 격려와 위로가 참 많이 필요했던 것 같다. 우린 책을 통하여 자연스럽게 만났고 방법을 찾았고 슬기롭게 지나온 것 같다.

직장 내에 첨단 강의실이 있고 분야별 전문가들이 있다는 것은 또한 천혜의 조건이었다. 책을 주제로 한 이야기를 나누면서 간간이 교수님을 초대하여 책과 관련된 여러 강의를 들었다. 총 4분의 어른들을 모셨는데 점심시간임에도 너무나 반가워하면서 무료 강의를 해주셨다. 유년 시절부터 책과 인연을 가진 계기를 말씀해 주시기도 했고 책을 제대로 가까이하는 방법, 메모하여 정리하는 방법들을 들려주는 분도 있었다.

모임이 있는 날은 어쩜 그렇게 새벽같이 눈이 뜨이는지. 각자의 책에 열중하며 발표자의 책 내용을 경청할 수 있었지만 나는 발표자의 책까지 도서관에서 빌려와 읽었다. 점심시간 1시간 안에 발표와 질문 등 이야기를 마쳐야 했고 점심 식사까지 해결하느라 우리는 주기적으로 공공칠 작전을 펼쳤다. 김밥이나 피자를 준비하는 총무까지 그야말로 모두가 신나고 에너지가 넘쳤고 더불어 1시간 내내 웃고 배우는 시간이었다. 책은 그렇게 생동감 있는 젊음을 주는 마력이 있는 것인지도 모른다.

그중에서 책 읽기에 처음 재미를 붙이게 된 계기는 황인경 선생님의 소설 목민심서를 보면서였다. 역사적 인물을 소설로 그리면서 어떻게 그렇게 술술 읽힐 수 있도록 썼는지 신기한 일이었고 지금껏 그다음 내용이 궁금하여 자다가 일어나 들여다본 것은 그때가 처음이었다. 문장에서 호칭하고 있는 '약용'이 궁금하여 불을 끄고 누워도 도저히 잠이 안 오는 것이었다. 한밤중 2~3시에 일어나 불을 켜고 책을 폈던 것은 지금도 잊히지 않는다.

'약전'이 흑산도에서 생을 마감하고 남긴 서적을 선산을 지키는 마름이 아들의 신방을 꾸미느라 벽이며 바닥, 천장에 벽지로 도배한 것을 '약용'이 장정 몇을 들여 몇 날 며칠 동안 뜯어내는 모습을 그린 부분은 10여 년이 지난 지금도 마치 눈에 보이듯이 선하다. 그렇게 회수한 내용이 바탕이 되어 자산어보가 만들어졌다고 하니 그 통탄할 노릇이란 말로 할 수 없다. 그러한 이야기의 전개가 궁금하여 어찌 책을 덮어놓고 잠을 잘 수가 있었겠나? 다 읽기까지 놓을 수가 없었던 그 5권의 소설은 너무나 찰진 이야기였고, 녹을 먹는 직업을 가진 사람은 언제고 정약용 선생님의 목민심서를 제대로 보아야 한다는 생각을 하게 했다.

호찌민이 일생동안 머리맡에 목민심서를 두고 교훈으로 삼았다고 하지 않는가. 베트남의 호찌민 생가 전시장에서 실제로 책상 옆에 목민심서가 놓여있는 것을 보고 뿌듯함과 안타까움 그리고 반성 비슷한 마음이 들었다. 다산 선생님에 대한 제대로 된 교육이 부족하지 않나 싶어서다. 전남 강진의 다산초당 앞에서 말문이 닫히고 숙연해졌던 것도 시대를 거슬러 가서 다산 선생님을 뵌 듯한 그 책의 영향 때문이리라. 평생 글을 읽고 쓰면서 생을 보낸 어른, 다산 선생님을 처음 접한 것은 그렇게 책 모임에서 시작되었다.

요즘 주위에서 독서모임을 하자는 말들이 들려온다. 참 반갑다. 세월도 많이 흘렀고 직장 내 세대교체도 많이 되었다. 개인적 만남이 저어지는 상황임에도 서너 명 정도 한 테이블을 구성해서 같이 책을 보자는 제안에 또다시 맘이 동해졌다. 그분들의 직종도 다양하다. 또다시 시작하는 오랜만의 직장 내 책 읽는 모임이 기대된다. 다른 사람들의 생각을 들어보고 다름을 자각하는 재미랄까 묘미, 그런 것이 책 읽는 즐거움이리라.

나이를 먹어가면서 더 느껴지는 것은 사람 수만큼이나 생각이 다양하다는 것이다. 같은 책을 보아도 다른 책을 이야기하는 것 같을 때가 있다. 나이가 들수록 더 해석이 분분하고 상세해지고 있음을 알 수 있다. 자기에게 맞는 분야만 더 집중하여 보는 것 같고 간혹은 자기의 시각대로만 보고 해석하는 사람들을 볼 때 놀라움도 있다.

새롭게 독서 모임을 하게 되면 이제는 세간에 회자되는 책을 선정하여 같이 읽고 생각들을 폭넓게 교류하는 시간을 가져보고 싶다. 정말로 저자가 지향하는 메시지가 무엇인지 그리고 이 시대에 요구되는 과제가 무엇일지 생각을 나누고 싶다. 인류가 쌓아온 지적 보고, 오늘도 끊임없이 나오고 있는 석학들의 담론, 무궁무진한 책의 세계가 있어 마음이 바쁘고 행복하다. 이야기 나눌 사람들이 있어 마음 설렌다. (2021. 5.)

제14화 화초는 물만 먹고 살까?

느림의 미학

'너희 집에는 꽃이 끊이지 않네' 오래전 들었던 찬사다.

어린 시절에는 뒷산과 마당에서 나무와 꽃을 가족처럼 보며 살았고 가뭄에는 마당에 호스를 대고 물을 준 기억도 있지만 나무와 화초를 늘 가까이 하기는 싫지 않았다. 처음 아파트 생활을 시작할 때 동료들이 안고 온 화분이 서양란이다. 그 진보라 꽃은 어찌 그렇게 진홍색이던지. 꽃이 진 뒤 한동안 아쉬움으로 간간이 베란다에 놓고 물을 주곤했다. 꽃이 다시 피리라는 생각은 하지 못했다. 화분을 처음 키웠으니 말이다. 남은 잎사귀도 귀하여 물주는 일이 기뻤는데 해가 바뀌고 어느 봄날 꽃순이 돋는 것이었다.

새순이 돋는 진리를 일여 년을 보내면서 바라보게 되었다. 누군가 가르쳐 주는 사람도 없었다. 너무 당연한 일이겠지만 몰랐던 한 세상을 본 듯했고 아파트 생활에 재미를 붙일 수 있는 작은 계기가 되었다. 모든 풀은 봄에 피고 겨울에 지는데 그 순리가 눈에 들어왔다고나 할까. 그 화분은 거의 10여 년 넘게 아이의 자라는 모습과 함께 사진에 담겼다. 서양란 '덴파레'라는 고혹적인 보라색 꽃이었다. 그 시작이 지금 우리 집 화초들을 있게 했다. 이제는 커다란 대야에 물을 네다섯 번은 왕복하면서 줘야 한다. 물주는 일이 작은 일이 되었지만 식물들은 우리와 함께 잘살고 있다.

어찌 그리 화분을 잘 키우냐는 질문에 대한 대답은 항상 같았다. '물만 주는데요' 물만 주면 그냥 그렇게 자라는 것이었기에 나조차 신통했다. 물만 먹고도 잘 자라고 꽃도 피는 애들이 신기하고 고마웠다. 단 제때 물을 주어야 하고 적당한 양을 주어야 한다. 그러고 보니 커뮤니케이션도 있었다. 나는 늘 물을 주면서 말을 걸었다. '아이고 고마워라. 어머나 꽃대가 올라오네. 아이고 목말랐지? 내가 늦었구나. 잎이 말랐네, 미안하다' 등등. 어떤 날은 이런저런 내 하소연도 했던 것 같다. 늘 물을 주면서 이야기를 많이 했다. 젊었던 날 그렇게 나는 혼자서도 잘 놀았던가 보다.

그러고 보면 식물은 물만 먹고 자라는 게 아니었다. 주인과 교류했고 사랑도 받았고 꽃을 피우면서 화답도 했다. 어쩌면 이 친구들이 늘 우리를 바라보고 있었는지도 모른다. 응원도 했겠지. 근자에 들어 레몬나무를 많이 가꾸면서 물주는 일이 정말 일이 되었고 그러다 보니 그 애들과 어느 틈에 대화를 조금 잊었다. 여유를 잊고 산 것이다. 혼자

고독해 했다. 나이 들면서 왜 그리 고독한 일들이 많아지는지 혼자 맘을 닫고 식물들과의 대화도 잊고 살았음을 깨닫는다.

급속하게 변화하는 시대, 속도가 중요해지는 시대에 적응하느라 눈에 보이는 화답만을 쫓고 살아온 것인지도 모르겠다. 어느 틈에 느림의 미학을 잊은 것이다. 해가 바뀌어야 다시 새순이 돋고 싹을 틔우고 꽃을 피우는 식물들을 천천히 기다려주고 바라보는 여유를 잊은 것이다. 어쩌면 사람들과의 관계에서도 나는 너무 성급했던 것이 아닐까. 그들이 생각하고 느끼고 바라볼 여유를 주어야 하는데 속전속결 했는지도 모르겠다. 간혹 한두 발 뒤 쳐져도 보고 천천히 가는 것도 새로운 꽃을 피우는 한 방법일 수도 있겠다. (2022. 10.)

제15화 고전 읽기 백일장

소풍 가는 날

고전 읽기 백일장에 다녀왔다. 세 번째 참여다. 올해 본선은 울산에서 있었다. 먼 길이라 부담스러웠지만 코로나 이전에는 서울에서 시험을 쳤는데 그나마 영남권을 묶어 울산에서 시험이 있었으니 다행이었다. 신랑이 태워주지 않았다면 아마 참석하지 못했을 것이다. 매년 차를 얻어 타고 토요일에 신랑과 소풍을 다녀온다. 삼 년 전에 처음 예선 원고를 보내고 본선이 대전에서 있었다. 작년에는 부산 어딘가를 비를 뚫고 찾아갔었고 올해는 찾아가기가 더 어려운 울산에서 본선이 있었다.

매번 쓴소리 한번 안 하고 태워줘서 고맙다. 나는 길치이고 운전도 서툴러 찾아갈 수 없었을 것이다. 예선을 통과했으니 본선은 부담 없이 다녀온다. 고사장이 꽉 찼었다. 올해는 코로나가 가라앉아서인지 참석률이 거의 100%라고 했다. 10% 정도가 결석일 줄 알았다는 관계자들은 당황한 듯했다. 초등생부터 중고교생과 대학 일반부 젊은 군인들까지 한 고사장에서 원고를 읽고 쓰는 모습은 진풍경이었다.

전국 22개 고사실에서 동시에 시험을 치렀다. 배부해준 원고를 다 읽는데 거의 4~50분이 소요되었다. 3시간 내에 감상문을 제출하는 시험이다. 일정한 인원을 모아서 배부한 고전을 읽도록 하는 것에서 벌써 사업의 목적을 달성한 것은 아닐까 싶었다. 초중고등 학생과 군복을 입은 군인들이 열심히 글을 읽고 글을 짓고 있는 모습이 흐뭇했다. 집이나 직장에서 읽을 수도 있는 글을 먼 곳에 와서 읽는 즐거움도 색달랐다. 이 재미로 내년에 또 올지 모르겠다.

이 대회가 내게 주는 즐거움 중 하나가 고전이라는 점이다. 그것도 한국 고전이다. 평소 번역서가 주를 이루고 베스트셀러를 접하는 기회가 많은데 우리 고전은 접하기 쉽지 않다. 특히나 이공계열을 나온 나는 학창 시절에도 우리 고전을 쉬 접하지 못했다. 첫해 본선 대회에서 박지원의 '호질'을 읽었고 두 번째 해에는 작자미상의 '영웅전'이었다. 올해는 '사씨남정기'였다. 두툼한 원고를 받아 들고 첫 느낌은 우와 이 고전을 읽게 되다니 하는 반가움이 있었다.

그 세 편의 고전을 모두 대회에 참석하면서 처음 접했으니 창피스러운 일이기도 하다. 독서를 재밌다면서도 사실 내가 읽은 책의 범주는 아주 단출했던 것이다. 그래서 어쩌면 내년에 또 응시할지도 모를 일이다. 매년 선정하는 도서가 궁금해서다. 햇살이 반짝반짝한 날 우리는 유람을 다녀왔다. 휴게소에서 샌드위치를 맛있게 먹는 신랑이 고마웠고 커피는 왜 그리 맛나던지. 저녁 무렵 도착하여 우리는 영화를 한

편 관람했다.

영화 '인생은 아름다워'는 중년 부부의 이야기로 한국판 '맘마미아' 같았다. 슬프기보다 웃음이 더 나왔다. 슬픈 부분에서 눈물이 나지 않았던 것은 아직 진행 중인 우리 이야기여서 그랬던 것 같다. 주인공의 개그에 더 웃었다. 우리 세대의 이야기도 먼 훗날에 고전이 될 수 있을까. 지난 역사는 다가올 미래라고 했는데 매년 고전을 서너 편씩 접하니 생각이 달라진다. 아주 길게 연결해보는 눈이 생긴다. 여성들의 희생이 많았다. 옛사람들은 모두 스승 같다. (2022. 10.)

제16화 그가 말한 동백꽃 속의 청춘

동백꽃 - 김유정 -

번역서가 넘쳐나고 하루에도 수 만권의 신간이 나오는 시대에 살면서 무척이나 오랜만에 '동백꽃'을 다시 읽었다. 처음 읽었던 이후로 강산이 세 번 이상 바뀌었고 그래서인지 예전에는 미처 깨닫지 못했던 느낌과 생각들이 많았다. 얼굴 가득 함박웃음이 지어지고 가슴이 따뜻해졌을 뿐 아니라 인생 중에 길지 않은 한 자락 사춘기 젊은이들 이야기임에도 불구하고 그 이야기 속 삶이 지금도 계속되고 있는 듯한 착각이 들었다. 그 기분을 사람들과 나누고 싶어졌다.

친근한 대화가 곁들여져서인지 술술 읽히는 우리글이 편안했다. 삼베옷 입고 철 따라 산으로 들로 나물 캐고 나뭇짐 져 나르며, 농사를 업으로 살아가던 그 시절의 사람들이 보이는 듯했다. 작가가 살던 때를 조사해보았다. 대한제국 시절이고 남의 나라에 강점되어 우리 국민의 삶이 극도로 피폐하던 시절이었다. 문득 서랍 속에서 자료를 찾아

이제는 가시고 없는 내 부모님의 젊은 시절과 비교해 보았다. 작가는 내 아버지, 어머니가 태어나시던 그즈음에 젊은 나이로 다시 못 올 여행을 간 분이었다. 내 부모님이 나고 자란 그즈음의 우리나라 시골 풍경을 떠올려보는 것은 그립고 가슴 아픈 일이기도 했다.

나는 부모님으로부터 힘들게 살아온 그 시절 이야기를 많이 들으면서 자란 세대다. '동백꽃' 이야기 속의 친구들이 살던 시간대를 통하여 내 부모님의 젊던 날들을 짚어보고 그 시절의 사회를 이해해 보고 싶었다. 하루하루 살기가 힘든 시절이었지만, 하얀 옷 입고 흙에 묻혀 살아왔던 그 순박한 사람들이 그리워졌다. 그 시절의 모습을 생생하게 들려준 작가의 이야기에 잠시 타임머신을 타고 간 듯했다.

나도 주인공의 나이인 그 16~7세의 시절을 지나왔다. 그 시절은 이 생을 떠난 사람들에게도, 지금 살아가는 사람들에게도 다 있었던, 혹은 앞으로 있을 시기다. 그러면 이 땅에 있어온 사람들, 이제는 가고 없을지라도 그 청춘기가 누적되어 만들어진 터전, 세상 모습이 지금 내 눈앞에 있는 것이다. 얼마나 소중하고 아름다운 세상인가? 이성에 눈뜨는 한 소절 이야기가 참 재미있다. 사람과 사람의 따뜻한 감정이 세상을 밝히는 아름다운 마음일 것이다. 오랜만에 다시 접한 '동백꽃' 이야기는 한동안 앉아서 들여다보게 하고, 많은 것을 생각하게 했다.

점순이가 '행주치마 속으로 꼈던 바른손을 뽑아서 아직도 더운 김이 홱 끼치는' 감자를, 그것도 그냥 감자가 아니라 굵은 감자를, 하나도 아닌 세 개나 손에 뿌듯이 쥐고 턱밑으로 불쑥 내밀었는데 '이거 먹어 볼라냐?' 정도였으면 좋았을 것을, 작가는 점순을 통해 다르게 말을 했다. 그 말로 인하여 청년은 '고개도 돌리려 하지 않고 일하던 손으로 그 감자를 도로 어깨너머로 쓱 밀어' 버리게 된다. 점순이가 '느집엔 이거 없지?'라고 해서다. 없이 사는 처지를 업수이 여긴다고 생각한 것이다. 집터를 빌리고 땅도 얻어 부치는 소작인의 자제로서 그 마름집 딸의 말에 자존심이 상한 것이다. 점순이가 보여준 호의가 어렵게 사는 여리고 약한 청년의 마음에 그대로 다가가지 못한 것이다.

그러나 그로 인하여 이야기가 시작된다. 거절당했다고 느낀 점순이의 행동은 참 귀엽다. 청년이 지나가는 길목에 앉아 그 집 씨암탉을 꼭 붙들어 놓고 암팡스레 패고 있는 모습 하며, 무던히 양쪽 집 닭을 싸움 붙여 놓으며 청년의 애간장을 태운다.

학창 시절에 체육 시간이면 한쪽 다리를 붙잡고 한 발로 종종거리며 서로 떠받는 닭싸움 시합은 해봤으나, 실제로 수탉이 서로 쪼며 싸우는 건 본 적이 없는데 면두를 쪼고 푸드덕거리고 피를 흘리는 닭의 모습이 얼마나 눈에 선하던지 도대체 어떻게 묘사했기에 그럴까? 다시 뒤로 가서 읽어보았다. 점순네 수탉을 이기기 위해 자기 집 수탉의 기운을 돋우고자 고추장을 먹이는 모습에서는 걱정이 앞서기도 했다.

붉은 동백꽃 속의 노란 꽃밥을 보고 노란 동백꽃으로 표현한 줄 알았는데 작가가 산기슭에 널려있다고 한 그 동백꽃이, 사실은 생강나무 꽃을 말한 것임을 나는 최근에 알았다. 그때나 지금이나 봄이면 생강나무의 새로운 가지가 온산에 웃자라 그야말로 퍼드러진다. 잎이 나기 전에 그 가지마다 노란 꽃이 보송보송 피어난다. 정말 장관이다. 작가는 매우 탐스럽게 성한 모습으로 '흐드러진' 동백꽃이라 하지 않고 아무렇게나 죽죽 뻗어 자란다는 뜻으로 '퍼드러진' 동백꽃이라 한 것이다. 새봄에 무성하게 새로 자란 가지마다 피어난 노란 생강나무꽃을 노란 동백꽃이라 한 것이다.

노란 생강나무꽃이 피어나 바닥에 소보록하니 떨어져서 깔리어 있었던 것이다. 애틋한 그 친구가 지나갈 길목인데 점순이는 '산기슭에 널려있는 굵은 바윗돌 틈 노란 동백꽃이 소보록하니 깔리 '인 그곳에 앉아 호드 기를 못 불었을까? 청년이 점순을 청승맞게 호드 기를 불고 있다고 한 것은 그 앞에 수탉의 쌈을 시켜놓은 탓이다. 점순이는 왜 또 그래 놓고 기다렸을까?

사실 자기네 수탉이 거의 빈사지경에 이르렀다고 청년이 달려들어 점순네 큰 수탉을 때려 엎었다는 부분에선 놀라웠다. 분하고 무안하고 걱정도 되어서 엉 울음을 놓았다고 했지만 조금 잔인했다. 피 끓는 청춘이라서 그런가? 극적인 상황 연출을 위해서인가? 하여튼 그 바람에 이야기는 절정에 달한다. 그 상황까지 가서도 점순이는 담담하다. '그럼, 너 이담부턴 안 그럴 테냐?' 그 한쪽의 반쪽이다. '뭘 안 그러는지 명색도 모르건만 그래!'라고 대답하였으니. 세상은 이렇게 아귀가

맞게 돌아간다.

'닭죽은 건 염려 마라, 내 안 이를 테니'라고 용서하고 품어주는 것은 마치 누나나 엄마 같다. 여성에게 있는 모성 같은 푸근함이다. '점순이 겁을 잔뜩 집어먹고 꽃 밑을 살금살금 기어서 산 아래로 내려 간 다음, 청년은 바위를 끼고 엉금엉금 기어서 산 위로 치빼지 않을 수 없었' 던 것은 무안한 것도 있겠으나, 타 시선을 의식하여 본인뿐 아니라 점순을 위한 보호 본능도 있었을 것이다. 한쪽이 가진 모성애와 다른 쪽이 가진 보호 본능 이 또한 대칭을 이루는 듯했다. 이 대목에서 나는 하하하 하고 웃음을 놓지 않을 수 없었다. 물론 한동안 미소가 함께 했다.

'뭣에 떠다 밀렸는지 나의 어깨를 짚은 채 그대로 퍽 쓰러진' 점순. '그 바람에 나의 몸뚱이도 겹쳐서 쓰러지며 한창 피어 퍼드러진 노란 동백꽃 속으로 폭 파묻혀 버렸다'라고 했다. 소보록하니 깔린 노란 생강나무 꽃잎 위로 대담한 점순이가 떠밀은 것이다. 둘이 꽃 속에 폭 파묻힌 것이 아니라, 사실은 얇게 깔린 꽃방석 위에 풀썩 쓰러진 것이다. 그렇지만 꽃 속에 폭 파묻힌 것이나 진배없는 일이다. '알싸하고 향긋한 꽃' 나무가 둘러선 공간 속에 풍덩 빠진 것이니까. 대지의 따뜻한 바람, 상쾌한 공기에 둘러싸인 것이다. '온정신 아찔할 정도로'.

지금 삶을 사는 중장년들과 앞서 살다 간 모든 이들에게도 사춘기 10대의 젊음이 있었다. 어설프게, 때론 치열하게 살아냈겠지만 지나 보면 너무나 짧았던 시기이고 누구나 한 번쯤 돌아가고픈 시절이다. '동백꽃' 이야기를 접하게 되면 지난 시간을 돌아보게 되고 위안받는 듯 행복할 것 같다. 그 따뜻함이 모여서 한 생을 엮었고 그 생들이 모여서 이 사회가 지탱되어왔을 것이다. 힘들고 지친 일상에서 간혹 소중한 자기 마음을, 자기감정을 잘 보듬고 키우는 것이 필요한 시절이다.

누구나 마음은 청춘이라는 말이 있다. 외모는 한 모습일 뿐, 세월과 난관에 오염되지 않고 자기의 마음을 얼마나 잘 가꾸며 살아가고 있는지 스스로 돌아본다면 여유로운 사람일까? 책이 그것을 도와주는 것 같다. 덜 분노하고, 덜 낙심하고, 온전하게 세월을 맞을 수 있다면, 한 편의 시가, 한 편의 이야기가 그 작은 계기가 되어 준다면 더 살 만한 세상이 되지 않을까? 세상살이에 지친 누군가가 있다면 이 따뜻한 이야기 한편을 들려주고 싶다. (2020. 6.)

제17화 진정한 태평천하를 꿈꾸다

태평천하 - 채만식 -

고등학교 시절 참고서나 국어 시간에 보고 들었던 태평천하라는 소설을 이제야 읽었다. 그런데 처음 몇 바닥에서부터 '우와'하는 감탄사가 나왔고 한달음에 마지막까지 읽게 되었다. 왜 이제야 읽게 되었나 하는 생각이 들었지만, 이제라도 읽게 되어 다행이었다. 사실 처음에는 일제 치하를 거치며 혼란한 시대를 살아간 저자가 어떻게 이야기를 풀었을지 궁금했고 글이 좀 어렵지 않을까 하는 우려를 약간 했었다. 그런데 너무 잘 읽히는 것이었다. 화자의 '습니다' 체를 끝까지 유지하면서 이야기하는 것이 신기하고 반갑기도 했으며 그래서 읽기가 더 편했던 것 같다.

가만 생각해보면 내가 주로 읽는 책들은 거의 번역서가 많았다. 작년 봄 즈음 도올 선생님이 쓴 몇 권의 책을 보면서 어찌 그렇게 잘 읽히든지 그 이유를 곰곰이 생각해본 적이 있다. 여러 가지 이유가 있겠지만, 아하! 우리나라 사람이 쓴 글이어서 그렇구나! 하고 나름의 해석을 했다. 채만식 선생님의 글도 우리나라 사람이 쓴 글이라 더 다가왔을까? 그동안은 시대적 배경이나 사회 상황을 미루어 선뜻 책을 잡지 못한 부분도 있었다. 젊은 날에는 왠지 시대적 아픔을 접하기가 조금 어려웠고 어떤 마음의 대비가 필요했는지도 모른다. '태평천하'로 인하여 그 막연히 가지고 있던 기우가 사라지게 되었다. 우리 지나온 이웃들의 소소한 이야기였다. 곳곳에서는 아련한 통증 같은 것도 느껴졌지만 앞으로 그 시대의 글 들을 좀 더 봐야겠다는 생각이 들었다.

문체나 말이 전라도 방언 같은데 신기하게도 경상도에서 자란 내가 이해하는 데 어려움이 없었다. 어원이 같아서일까? 어머니가 자주 사용하시던 말씨와도 비슷하여 곳곳에서 엄마를 떠올릴 수 있어서 더 반가웠고, 책 전반을 채우는 대화체가 어려움 없이 쉬 읽혔다. 물론 그 긴 이야기를 쓰면서 끝까지 '습니다', '합니다', '입니다'라는 말투를 버리지 않는 부분이 무엇보다 정감이 있어서 쉼 없이 책을 보게 되었는지도 모른다.

"흔헌 물어다가 북북 씻어서"라는 표현은 자연스럽게 아주 어릴 적 열 살 미만이던 우리 연년생 자매가 처음 밥을 하던 추억을 떠올리게 했다. 바가지에 쌀, 보리를 담아 씻어 처음 밥을 안쳤던 기억이 난다. 타작을 하러 간 부모님이 해가 져도 오지 않아 언니와 같이 고사리손으로 밥을 했던 것이다. 늦은 밤에 논에서 돌아온 엄마가 딸내미 둘이서 불을 지펴서 설익은 밥을 해놓은 것을 보고 얼마나 대견해하던지 그 이후로 그 일은 엄마의 즐거운 회상이 되었었다.

마당에 엎어놓은 솥단지 밑에 솔잎 '깔비'로 불씨를 피우고 나무를 주워 넣어가며 평소 보던 대로 불을 피웠다. 언니가 쌀과 보리를 씻어서 앉히고 나는 콩밥을 한다고 마른 콩을 씻어서 얹었다. 큰언니와 오빠, 그리고 엄마 아버지 네 명이 새벽부터 밤까지 대여해온 트랙터를 발로 구르면서 타작을 하고 집으로 돌아온 시간은 아마 한참 늦은 시간이었을 것이다. 늦은 밤에 온 식구가 설익은 밥을 먹었을 것이다.

"혀를 끌끄을 차다가"라는 말에서는 나도 모르게 "끌끄을" 따라 해 보았다. "미닫이를 타앙 열어젖히고,.... 숟가락을 밥상 귀퉁이에다가 내동댕이를 쳤고요"라는 표현을 비롯하여 책 전반의 묘사는 마치 앞에서 보는 듯이 생생했다. "단산할 나이" "여자 아닌 여자로 변하는 때"라는 표현들에서는 갱년기를 접어든다는 말이 이렇게도 표현이 되는구나 싶어 다시 읽어 보았다. "말처럼 긴 얼굴을 소처럼 웃으면서 방으로 들어섭니다"라는 표현에서는 나도 얼굴이 긴대 싶어서 옆에 있는 거울로 시선이 갔다. 소처럼 웃는다는 건 또 어떤 얼굴일까 생각해보았다. "깊은 인정의 기미를 통찰할 재목이 되나요"라는 표현에서는 한동안 생각이 머물렀다. 책에서는 조금 모자라는 아들을 표현하는 말로 쓰였다. 사람으로 나서 누구나 똑같이 한 삶을 사는데 한 분야의 전문가는 못될지라도 최소한의 사리와 이치는 깨워 제대로 알고 살아야 한다는 자각이 들었다. 정말 줄기차게 배워야 하지 않나 하는 생각이 들었다.

책의 말미 부분으로 갈수록 옮겨 쓰고 싶은 문장이 참 많았다. '오래 지 않아 새로운 날이 밝고, 밝은 그 새날은 그네들에게 다시 어떠한 생활을 주렸는지'는 오지 않은 날에 대한 설렘만이 아니라 우리 아이 들에게 여기 좀 봐 보라고, 지금 많이 힘들어도 오래지 않아 새로운 날이 밝을 것이고 그 밝은 새날은 또 얼마나 많은 가능성을 가지고 있느냐며 두드려 전해주고 싶었다.

'만일 오늘이 우리한테 새것을 가져다주지 않고 어제와 꼭 같은 것만 되풀이를 한다면, 참으로 우리는 숨이 막히고 모두 불행할 것입니다' 는 말은 얼마나 멋있던지 오늘은 뭔가 해야 한다는 의무감이 들면서 오늘은 온전히 나한테 달려있다는 기분 좋은 무게가 실려다. '인간은 늙어 백발로, 백발은 마침내 무덤으로.. 이렇게 하염없어도 인류는 하 루하루 더 재미있어 간답니다.'라는 표현에서는 가슴이 두둥실 부풀어 졌을 뿐 아니라 이래서 소설을 읽게 되는구나 싶었다.

책 분량에 비하여 내용은 단 며칠 동안의 이야기였다. 증손자부터 손 자, 아들, 주인공 윤직원 영감, 그리고 그의 처, 며느리 고 씨, 손자며 느리 2명과 딸인 서울 아씨 등이 등장한다. 3~4대의 한 가족 이야기 다. 재미있는 구성으로 이야기를 전개하며 인물을 등장시키는 것이 마 치 한 편의 연극 같기도 했다. 어디선가 들어본 것 같은 친숙한 이야 기이며 그 시절 어렵게 살았던 민중들의 생활이 절절히 다가왔다. 증 손자와 동갑내기인 춘심 이를 두고 벌이는 윤직원 영감의 행동 묘사

부분과 손자 윤종수가 부친의 서울 애첩과 대면하는 장면에서는 대소가 나왔다.

윤직원 영감이 동학에 대하여 품는 분노를 보며 느낀 안타까움은 마지막에 또 느껴졌다. 신교육을 배우러 간 손자 종학이 사회주의에 심취한 기별을 듣고 벌이는 윤직원 영감의 절망에 말문이 막혔다. 3~4대에 걸쳐서 유일하게 최고의 엘리트로 공부하러 간 손자가 사회주의 사상에 발을 디딘 소식은 이야기 흐름에서 일말의 관심과 기대를 품게 하는데 윤직원 영감은 세상이 끝난 듯이 울부짖는다. 사회주의를 불한당 패나 없는 자들이 하는 것으로 인식하고 일제 치하를 태평천하라고 착각하고 있는 모습에서는 황당함을 넘어 슬픔이 일었다.

태평천하의 전체 줄거리는 구수한 대화체 사투리와 화자의 평이한 설명으로 쉽게 넘어간다. 나는 재미있게 읽으면서도 끝까지 따라오는 의문이 하나 있었다. 바로 이야기의 처음부터 끝까지 등장하는 여성들의 모습에서다. 아들, 손자와 부대끼며 등장하는 여성들은 모두 가사 일에 머무르고 있었다. 며느리, 딸은 밥 짓고, 옷 짓는 일에 한정되어 있고 몇몇 등장하는 여성은 첩이나 기생으로 표현된다.

여성의 사회활동이 거의 없었고 사회적 기회도 적었기에 그 당시 여성들의 모습일 수 있다. 그래서 그 여성들의 생각이 궁금해졌고 남자의 시선으로만 표현된 것이 아닐까 싶었다. 그래서 여자들의 삶이란 무엇일까 하는 생각이 커다랗게 남았다. 지금도 그때와 크게 변하지 않은 우리 사회의 모습 때문에 더 그럴 수 있다. 의문과 숙제를 안은 듯한 느낌이 왔다.

구한 말 서재필 박사는 독립신문에 '여성에게 교육 기회를 제공하고 그들을 사회활동에 등용하는 것이 조선이 독립하고 세계 강국으로 가는 기본 지름길'이라고 썼다. 한 세기가 지난 지금 여성의 교육열과 사회 참여율은 전체의 절반이 되었지만 일련의 여러 상황을 보면 아직도 우리 사회는 여성에게 너무 야박한 것 같다. 이 책을 접한 사람들이 여자든 남자든 상관없이 여성의 삶에 관심을 가져 보았으면 좋겠다.

'태평천하' 이야기는 하얀 명주·삼베옷 입고서 한 시대를 열심히 살아간 조상들의 삶을 한번 들여다본 듯 뭉클해지는 계기가 되었다. 그분들이 있었기에 오늘 우리가 존재할 것이다. 이제는 좀 더 나은 사회를 만들어 가는 것이 우리 모두의 숙제일 것이다. 국민소득 4만 불의 경제 대국에 맞게 이제는 여성을 포함하여 약자를 돌아보고 사회를 치유하는 노력도 정말 필요한 때가 아닐까 생각해본다. (2021. 6.)

제18화 남녀의 차이를 다시 생각해보다

고전 '홍계월전'을 읽고

코로나19 백신을 4차까지 맞았다. 옆 사람들이 확진될 때마다 여러 차례 검진 대상에 올랐으나 무탈하여 나는 그 바이러스에서 자유로울 줄 알았다. 그러나 심한 몸살을 앓으면서 검사한 자가 검진에도 나오지 않던 결과가 뜻밖에 확진으로 나타났다. 남편이 확진되면서 나도 검사를 받으며 알게 되었다. 나는 아무런 증상이 없었기에 모르고 지나갈 뻔했다. 사람의 체력은 엇비슷해 보여도 남자와 여자의 차이가 어느 정도 있고 개개인의 차이도 있는 듯하다.

나는 법정 격리 대상이 되었고 일주일간 재택근무를 했다. 약간의 피로는 평소에도 있었기에 가만 살펴보니 미미하게 호흡 끝이 달랐다. 마치 감기가 끝난 뒤 폐에 느껴지는 작은 부담감과 코끝에 남는 매운맛 같은 느낌이 있었다. 일상으로 복귀한 뒤에도 나는 체력에 큰 변화가 없었기에 감사하면서 신체의 신비로움을 느꼈다.

공식적으로 얻은 7일간의 재택근무를 너무나 찰지게 보냈다. 세끼 밥을 해야 하는 수고로움도 달았다. 오랜만에 집안의 화초들도 자세히 보았다. 두어 해 전에 씨앗을 발아시켜 손가락 크기만 하던 레몬 나무가 그사이 내 가슴께까지 자라고 있었다. 물만 먹고사는 식물도 이렇게 풍성하니 사람의 몸은 단련을 잘하면 남자 여자를 떠나서 엄청나게 변화할 수 있을 것 같았다. 앉았다 누웠다 하며 환자 같지 않은 환자는 하루 종일 책을 볼 수 있는 시간을 얻었다.

그 시간 동안 만난 사람이 '계월'이다. 남자들을 압도하는 무술을 겸비하고 체력이 출중한 '홍계월'의 이야기다. 첫 페이지 '여성 영웅소설'이라는 표기에 우와 감탄이 나왔고 궁금증이 일었다. 19세기 초에 쓰였다. 책의 절반은 원문 주석을 담아서 실제 이야기 분량은 짧았다. 그래서 금방 읽혔는지도 모르겠다. 그 시절의 여성 영웅은 무슨 일을 했고 어떤 내용이기에 여성 영웅인가 싶었다. 한달음에 홍계월을 따라가며 읽었는데 그녀의 생각은 어쩌면 그렇게 지금과 닮았는지. 어찌 하나도 변하지 않았는지. 왜 모든 것을 다 이루고 가졌으면서도 여성 영웅은 남자이지 못함을 통탄하는지 애석했다. 처음 책을 펴면서 내가 기대했던 것은 무엇이었을까. 무엇을 갈망했기에 실망이 컸는지 생각해 보았다.

코로나19에 부부가 같이 감염되면서 일주일 내내 집에서 밥을 해 먹었다. 신통하게 총 3번의 검사를 했는데도 방학을 맞아서 집에 와 있던 작은 아이는 전염되지 않았다. 멀쩡한 아이를 제 방에 격리하고 거실과 나머지 방을 확진자 둘이 차지했다. 하루 세끼 밥을 해 먹으면서 젊었던 날을 떠올리지 않을 수 없었다. 그 시절에는 아이들 뿐 아니라 가족들 밥을 홀로 챙겼고 청소 빨래 설거지며 분리수거까지 모든 일은 내 차지였다.

나이 오십을 전후하여 어느 날인가부터 남편은 설거지를 거들기 시작했다. 아이들 어릴 때 내가 얼마나 바쁘게 살았을지 감이 오느냐고 물어도 아무 말이 없다. 그냥 요즘은 찌개를 끓이기도 하고 설거지도 한다. 좀 더 일찍 집안일을 같이하고 살았더라면, 지금도 도와주는 일이 아니라 내 일이라고 생각한다면 서로 더 편안할 것 같다. 같이 경제활동을 하며 살아가는데도 남자 일 여자 일로 구분된다. 농경사회였던 한국은 할머니 어머니들의 희생이 있었기에 사회가 유지되어 오지 않았을까 생각한다. 문제는 그 희생을 당연시하고 강요하니 고금을 망라하여 이 땅의 여성들은 늘 우울하고 아프고 슬프지 않았을까.

작은 아이가 중2 때였다. 매스컴에서는 연일 약자를 향한 묻지 마 사건들이 보도되고 있었다. 강남역 10번 출구 사건이 있었다. 강남역 인근 한 건물 화장실에서 한 남성이 일면식도 없는 여성을 살해한 사건이다. 그 사건은 여성 혐오 범죄로 불리면서 여성들의 단체 행동이 촉발되었고 더 이후에는 남성 여성의 대결 구도가 조성되기도 하여 많은 우려를 낳기도 했다. 그즈음 세계 여성의 날 집회가 강남역 10번 출구를 중심으로 열렸는데 중2 아이가 그 집회에 참석하겠다고 했었다. 엄마가 같이 동참하는 조건으로 허락했다.

그 해 고3 큰애의 대입 실기 시험에도 서울에 같이 가지 못했는데 나는 중2 아이를 지키기 위해 직장에 휴가를 냈다. 어쩌다 보니 현수막을 들고 도로를 행진하는 선두에 들어서게 되었는데 만감이 교차했다. 기자들이 카메라를 들이대고 있었지만 나의 모든 신경은 자신이 직접 만들어 온 피켓을 들고 걷고 있는 아이에게 쏠려있었다. 백인계 외국인 여성도 있었고 동남아 여성도 있었다. 그날 참석한 여성들의 마음을 대변하는지 하늘은 온통 흐렸고 진눈깨비가 흩뿌리고 있었다. 서러웠다. 아이와 같은 여성이었기에 그 서러움을 오롯이 같이 통감했다. 시간이 제법 흘렀지만 우리 사회는 여전히 별 변화가 없는 듯하다.

그즈음이었을 것이다. 서울대 도서관에서 가장 많이 대출되었다는 책 '82년생 김지영'이 연일 화제였다. 일본에서도 출간되고 영화로도 제작되었지만 주위 반응은 놀라웠다. 그 책은 젊은 남녀들의 실랑이가 되었고 무엇보다 제작된 영화를 남편도 보기 저어하는 것이었다. 세상이 노래지는 느낌이었다. 그 영화는 이후 TV에 여러 차례 방영되었지만 남편은 끝내 보기를 마다했다. 한때는 합리적이라 느꼈고 최소한 나와 같은 생각을 가졌을 것이라 여겼는데 그런 모습이 현 대한민국 남자들의 생각이라고 여겨져서 솔직히 암담했다. 딸이 있고 여동생이 있고 어머니가 있다면 관심을 가져야 하는 일이지 않을까.

우리나라는 약자에게 특히 여성에게 인색하다고 여겨 왔다. 이제야 어렴풋이 느낀다. 우리 교육은 그 어디에도 사람을 목적으로 하는 교육이 적거나 없다. 제대로 된 성교육이 없고 사람을 사랑해야 한다는 교육이 부족하다. 최근에는 정치인들이 남녀를 구분하는 위험한 발언을 하는 모습까지 있었다. 아기가 울면 왜 우는지 살핀다. 기차가 정해진 길을 갈 때는 다양한 조건이 필요하다. 철로가 잘 나 있어야 하고 기관사도 있어야 하고 연료도 끊임없이 보급해야 한다. 함께 사회를 구성하고 인생을 살아가는 길에서 누구 하나 중요하지 않은 사람은 없다. 두 종류로 나뉘는 여성과 남성의 조화는 살아가는 내내 모두가 관심을 두어야 하는 분야다.

여성 영웅 '계월'은 전쟁터에서 보통의 남성을 넘어서는 체력과 무술을 가진 인물로 나온다. 전쟁터에서 칼을 휘두르는 실력이 남성을 뛰어넘어 신의 경지다. 훗날 자신의 남편이 되는 보국을 여러 차례 홀홀단신으로 적들의 무리에 뛰어들어 구해낸다. 그럼에도 불구하고 어릴 때부터 같이 자라고 같이 무술을 연마한 남편에게 여성으로 대접받지 못하고 외로워한다. 황제로부터 모든 걸 다 받았지만 정작 자신이 남자이지 못하고 여자임을 한탄하는 부분에서 참으로 안타까웠다. 속상했다. 자신의 실력으로 가지게 된 많은 것에 만족하며 여자임으로도 기쁠 수는 없었을까. 남자이지 못해서 억울해하는 모습은 마치 여성은 하위의 존재라는 정의를 깔고 있는 듯했다. 그렇다면 사회가 그러한 정의를 내린 것일까.

계월이 부모를 잃었을 때 데려다가 자신의 아들과 같이 공부할 수 있게 한 사람이 보국의 아버지다. 그는 계월을 '평국'이라고 이름 지어 주고 자신의 아들과 같이 문무를 겸비할 수 있도록 했다. 남녀 구분하지 않고 내 아이 남의 아이 구분하지 않고 교육시켰다. 아이 때부터 평국은 보국을 능가했는데 그래서 보국은 평국에게 경쟁심을 느낀 것일까. 같이 자라고 자신의 목숨을 여러 차례 구해주고 결혼까지 하게 되는데도 평국을 홀대한다. 애첩을 두고 여성들을 가까이한다. 그러한 모습이 보편적인 사회의 한 형태였을까.

보국의 여성 편력을 보아 넘기는 것이 그 시절 여자들의 통념이었을까. 그래서 평국은 남성이 되지 못함을 통곡한 것일까. 출중한 재주로 남성도 이루기 어려운 최고의 자리를 다 차지하고 천자의 벼슬을 다 받고도 남성이 되지 못함을 애통해한 평국의 마음은 우리가 풀어야 할 숙제 같다.

세월이 흐르고 세상이 변해도 변하지 않는 것은 사람과 사람의 관계다. 사람이 중요하고 사람이 중심이 되어야 한다. 사람들이 홍계월의 이야기를 많이 읽어 보았으면 좋겠다. 그 시절 서글픔을 느끼는 사람의 이야기를 읽으며 현시대 상황도 떠올려보는 계기가 되면 좋겠다. 지금도 그 옛날에도 여성과 남성은 모두가 소중한 사람이며 같이 어울려 살아가야 하는 존재라고 생각한다. (2022. 6.)

제19화 배움은 세월이 흘러도 변하지 않는
마음공부

고전 '사씨남정기'를 읽고

김만중의 '사씨남정기'를 읽었다. 한 집안에 새 사람 며느리를 들이기 위해 고안한 시부의 생각이 멋있었다. 관세음보살 그림을 찬양하는 글을 짓게 한 것이다. 사람의 덕행과 성실은 그 사람의 필법에 드러난다고 생각했다. 그 시부의 생각대로 과연 며느리 사씨는 그의 글처럼 훌륭한 마음을 가진 사람이었다. 며느리 사씨는 친정어머니의 병 구환을 위하여 몇 개월을 같이 보내고 작고할 때까지 모신다. 그 효심에서 또 한 번 그 인성을 볼 수 있었다. 가문을 잇기 위해 후처를 들이게 하고 많은 고행 끝에도 세 번째 첩까지 두게 하여 삼 형제를 본다. 사씨 부인의 그릇을 가늠해 보며 얼마만큼의 공부가 있었을까 생각했다.

세월이 흘러도 변하지 않고 필요한 것은 사람의 현명함이지 않을까.

생활 속에서 타인을 만나고 집안을 꾸리고 가계를 유지하는 데에도 지혜가 필요함을 느낀다. 며느리를 맞이하기 위해서 그 사람됨을 점쳐 보던 시부에 비하여 남편인 유한림은 그저 어질기만 했다. 두 번째 부인의 간교함을 그렇게 알아채지 못하고 긴 세월을 허비했으니 말이다. 한 가계가 유지될 수 있도록 귀로마다 도와주는 시부의 모습은 마치 지금의 부모님들과 다름이 없었다. 한림이 좀 더 깊은 혜안과 직관력을 가졌다면 좋았을 것 같다. 그의 아버지보다 그의 첫 부인 사씨보다 글공부가 좀 더 부족하지 않았을까 싶다.

글공부는 결국 한 사람의 인성뿐 아니라 자신의 삶을 꾸려가는 데에도 큰 힘이 된다고 생각한다. 긴 세월을 낭비한 한림이 두 번째 부인의 간교함을 파악하지만 그럼에도 세 번째 부인을 맞이하는 내용을 보며 결혼이라는 제도가 과연 무엇일까 하는 생각이 들었다. 팔순을 넘기며 부부가 해로했다고 끝이 나지만 첫 부인 사씨는 흡족한 삶이었을까 싶었다. 그 시절에는 그러한 삶이 바람직한 모습이라고 생각했을 수도 있지만 여자로서의 생은, 그 마음은 다스리기에 큰 노력이 필요했을 것 같다. 그 시절의 도덕을 배우고 인습을 체득하며 모범을 보였을 것이다. 마음이 힘들었을지라도 각자의 위치에서 할 수 있는 배움과 공부가 있었기에 가능했을 것이다.

여러 형제자매들 사이에서 어렵게 자라면서 우리는 서로 간의 경쟁심이 있었던 것 같다. 우리 집은 그렇게 유복하지도 않았고 늘 경제적으로 쪼들렸지만 서로 간의 적당한 경쟁심은 활력이 된 것 같다. 제각기

성혼한 뒤에는 자신들의 가정에 몰두하기 바빴다. 오십을 넘기면서 주위를 돌아보고 배려하는 힘은 작은 글공부에서 시작되지 않았을까 생각한다. 이기적이고 때론 삭막하게만 보이던 관계들도 어떻게 하면 좀 더 정감 있게 만들 수 있는지 알게 되었고 마음이 움직이게 도와주는 것은 결국 책이었고 글공부였다. 손만 내밀면 무수히 산재되어 있는 성현들의 글과 가르침은 생활 속에서 지혜를 가르쳐 주었다. 아이들에게도 글공부를 많이 권한다. 세상이 변하여 책을 읽을 수 있는 방법이 많아졌지만 종이로 된 책 읽기도 권하고 있다.

사씨 부인이 자신에게 일어난 그 수많은 일들을 다 겪어내고 살아갈 수 있었던 건 아마 그녀의 글공부 덕분이 아니었을까 생각한다. 사 씨 처녀가(결혼 전) 관음보살 그림을 보고 글을 쓰기 전에 손을 정결히 하고 향을 피우고 절을 하며 예의를 갖추었다는 부분이 마음에 와닿았다. 부처에 대한 예의이기도 하겠으나, 또한 글을 짓기 전에 마음가짐을 바르게 한 부분일 것이다. 글을 대하고 글공부를 하고 내 삶에 기준을 세우는 그 시작점을 어떻게 해야 하는지를 보여준다.

살면서 알게 된 글 읽는 재미와 글공부는 또한 나 자신을 돌보는 방법이 되기도 했다. 부모님이 가시고 자녀들이 떠나는 즈음이 될수록 사람에게는 특히 자기 자신을 관리하고 보살피는 능력이 필요할 것 같다. 그 방법을 책은, 글은 가르쳐 주었다. 사씨 부인의 한 생을 들여다보면서 그 시절의 여성의 삶이나, 결혼제도를 보았다. 그러면서 그녀의 생각과 마음이 어떠하였을까를 가늠해 보면서 과연 지혜는 무엇인가란 생각도 해보았다.

고전을 읽고 지난 세대의 삶을 돌아보면서 우린 또 생각하게 되는 것 같다. 과거는 미래의 한 모습일 수도 있다고 했다. 저마다 주어진 한 삶을 살다 간 그 사람들을 보면서 지금 우리 생에서 내 모습을 선택할 수 있을 것 같다. 아무리 세상이 변하고 세월이 흘러도 변하지 않는 것은 배움의 중요성일 것 같다. 배움을 통한 마음공부는 저마다 즐거이 찾아가야 하는 길일 수도 있겠다. 사씨 부인과의 만남은 이 가을에 접한 또 다른 선물이다. 그 인성을 곰곰이 새겨본다. (2022. 10.) ('22년 전국 고전읽기 백일장 - 우수상)

제20화 노란 꽃이 피었어요!

지난여름에 이곳으로 와서 가을과 겨울을 보냈어요. 출근 전에 울창한 나무 밑을 제법 걸었고요. 그러다가 낙엽 지는 것도 보고 나무들이 벌거숭이 되는 것도 보았네요. 이전 캠퍼스보다 건물만 빼곡하게 지어놓은 것이 아쉽기도 했는데 그 사이사이 수 십 년 된 나무들은 제법 그늘을 만들더군요. 계절이 바뀌고 나무들이 벌거숭이가 될 때 나무들 사이에 하나 있던 정자도 한눈에 들어오더라니까요.

어느 날엔가 양지바른 남향 건물 아래에 새파란 순이 제법 키가 자랐더라고요. 마치 파 같았어요. 오늘 모처럼 주말에 나왔는데 그 기다란 새 순 군락 끝에 딱 3송이 노란 꽃이 피었네요. 그게 뭔지 압니까? 세상에나! '수선화'였습니다. 가방을 놓고 다시 건물을 내려가 카메라에 담아왔습니다. 이런 날 저 멀리 매화를 보러 갔으면 이렇게 수선화의 개화는 못 보았겠지요?

예정했던 영화를 못 보고 읽을거리 싸서 사무실 나왔는데 눈에 익은 차들이 제법 보였습니다. 주중에는 자기 시간을 활용하지 못하는 친구들이 저마다 볼거리 읽을거리를 싸들고 와서 열독들 하나 봅니다. 고개 숙인 노란 수선화를 거꾸로 엎드려 들여다보느라 마른 잔디에 다가가 앉았을 때는 어찌 그리 신이 나던지요.

수선화에게 (정호성)
울지 마라 / 외로우니까 사람이다 / 살아간다는 것은 외로움을 견디는 일이다 / 공연히 오지 않는 전화를 기다리지 마라 / 눈이 오면 눈길을 걷고 / 비가 오면 빗길을 걸어가라 / 갈대숲에서 가슴 검은 도요새도 너를 보고 있다 / 가끔은 하느님도 외로워서 눈물을 흘리신다 / 새들이 나뭇가지에 앉아 있는 것도 외로움 때문이고 / 네가 물가에 앉아 있는 것도 외로움 때문이다 / 산 그림자도 외로워서 하루에 한 번씩 마을로 내려온다 / 종소리도 외로워서 울려 퍼진다

가만 생각해 보면 읽는 것보다 무언가 쓰고 싶은 게 더 많은 사람 같습니다. 아버지가 늘 모나미 볼펜을 쥐고 미끌미끌하던 달력의 뒷면에 무언가를 쓰시더니 아마 이런 마음이셨을까요? 늘 한자를 따라 적으셨는데 그러면서 아버지도 무언가를 쓰고 싶었던 게 아니었을까 싶습니다.

읽을거리도 많지만 무언가 쓰고 싶어서 펜과 종이만 잡으면 무언가를 씁니다. 가장 먼저 쓰는 게 제 이름이지요. 그리고 오늘의 년월일을

쓰고 무언가를 생각합니다. 갈망이었나 봅니다. 오늘의 화두는 '수선화'입니다. 나를 기다려 주말에 개화해준 3송이 수선화를 전합니다.

예정했던 영화는 또 다음 주에 봐도 되니까. 오늘은 먼 산에 누워있는 부모님이 떠올려집니다. 쓰고 싶은 무언가가 그리움인지 외로움인지 안타까움인지는 일단 접어두고 하얀 백지에서, 하얀 글쓰기 화면에서 무언가를 쓰고 싶은 마음을 발견하며 그 옛날 아버지의 마음도 가늠해 보았습니다.

봄에게 (코스모스)
괜찮다 / 종이에 쓰도 되고 브런치에 쓰도 된다 / 누구나 다 할 말을 가지고 있다 / 가수가 노래하고 / 화가가 그림을 그리고 / 무용수가 춤을 추는 것도 / 다 하고 싶은 말이 많아서다 / 네 이야기에 공감하고 / 네 이야기를 들어줄 사람이 / 단 한 명이라도 있다면 / 그 한 명이 너 자신이라 해도 / 지금 쓰고 있다면 / 다행이다 / 노래하고 / 그림을 그리고 / 춤을 추듯이 / 쓰보자 / 하고 싶은 말을 끝도 없이 해도 / 봄은 온다

Ⅲ   님사랑

님은 그 님만 있는 게 아닙니다.

강사님 교수님 선생님들을 만났습니다.

해 진 저녁에, 때로는 화창한 날에 귀를 세우고 들었던 님들의 이야기입니다.

언제든 어디에서든 님들의 강의는 고마웠습니다.

여기까지 읽어주신 님들도 참 고맙습니다.

제21화 데이터 대 항해 시대

소프트파워를 키우자 - 윤종록님 강의를 듣고 -

'아카데미 남명' 강의가 있는 날이었다. 연가를 낸 날이었지만 부득불 강의 교재를 가지러 사무실에 들러야 했다. 2주에 한 번 열리는 강의인데도 이렇게 참여하는데 장애요인은 소소하게 펼쳐진다. 어디에서도 쉬 들을 수 없는 강의 인만큼 방해 요소는 더 많을지도 모른다는 생각을 해봤다. 그렇기에 매 시간마다 그 방해 요인들을 뛰어넘으려 애쓰고 제법 진지한 마음으로 간다. 손 내밀어 잡기 전에는 그 어떤 일도 내 것이 되지 않기에.

놓치면 후회하실 거라던 강의 소개만큼이나 이번 회차 역시 나에겐 듣도 보도 못한 이야기가 넘쳤다. 이 나이 되도록 여전히 이렇게나 알 거리가 많다는 것은 정말로 지식의 홍수 속에 살고 있음을 느끼게 한다. 정보 비만사회라 해도 제대로 갖춰서 골라 들어야만 하는 지식은 산적하다. 이번에도 두 손으로 턱을 감싸 안게 만드는 말로 시작했으

니 그 주제는 바로

데이터 대 항해 시대, 소프트파워를 키우자! 였다.

이번 특강 강사님은 전 미래창조과학부 제2차관이었으며 정보통신사업진흥원장을 지냈고 현재 카이스트 초빙교수로 있는 윤종록 님이셨다. '아카데미 남명'을 연 '김영기'교수님께서 본인의 책을 자신보다 더 많이 읽고 더 홍보하고 직접 전화하여 강의 요청을 하셨기에 처음으로 이 지역에 왔노라 하셨다. 그러니 이 강의가 정말 얼마나 귀한 것인지는 말로 다 할 수 없다.

소프트파워의 원료는 뭘까요? 라는 질문에 나는 'data'라고 적어놨다. 그리고 이야기는 시작되었다.

500년 전 대 항해시대가 열렸고 지구가 둥글다는 것을 안 나라들은 배를 만들어 항해를 떠났단다. 배를 가진 자가 패권자였는데 포르투갈, 스페인, 네덜란드, 영국이다. 그 시절에 원료는 바람(석탄)이었고 전기(석유)였고 이후 원자력(우라늄)이었단다. 이제는 데이터의 바다라 했다. 데이터의 바다를 항해하는 배는 AI라고. 데이터 대 항해시대는 누가 AI를 더 많이 가졌는가가 패권자가 된다고 했다. 바람과 전기와 원자력이 하드 파워였다면 AI는 소프트파워라 했다. 그렇다. 그 소프트파워의 원료는 데이터가 아니라 '상상'이었다.

기억의 반대는 '망각'이 아니라 '상상'이란다. 기억은 왔던 길로 되돌아가는 여행이지만 상상은 안 가봤던 길로 가는 여행이기에 기억의 반대말은 상상이라고 하셨다.

이스라엘 대통령 '시몬 페래스'님의 이야기와 '피터 텔'이 쓴 Zero to One'의 소개는 강의 초반부터 흥미진진했다. 원료가 있어서 복제를 통해 생산하는 가로(X) 축의 기술이 아니라 아무것도 없는 무에서 1로 나아가는 수직(Y) 축의 진보 즉, 창조가 피터 텔의 책 'Zero to One'의 핵심이라 했다. 무에서 유를 창조하는 것이 창조 즉 상상을 혁신으로 만드는 것이란다. 한국에서 유일한 수직 축의 기업이 단 두 개인데 '네이버'와 '카카오'라고 했다.

'아카데미 남명'의 강의는 매 시간 몰랐던 한 사람의 강사로 인해 그 사람의 사상과 그 사람의 책을 만나게 해 준다. 강사님의 격조 높은 이야기를 들으면서 이번에도 읽을 책들을 꼽았다. '후츠파로 일어서라''스타트업 창업국가' '대통령 정약용' '이스라엘탈피오트의 비밀' '작은 꿈을 위한 방은 없다' '이매지 노베이션'

아! 이번 강의의 주제는 '후츠파로 일어나라~'였다. 너무나 부족해서일까. 정말 처음 듣는 말이었다. 인터넷에 검색을 해보니 강사님의 책과 강의 영상들이 넘쳤다. 그럼에도 난 왜 이제야 듣게 된 것인지. 무릎을 치며 강의에 참석할 때까지 후르츠인지 후파즈인 지 헷갈려했음을 얼른 숨겼다. 자세히 보고 적어보면서 안다. 원어로는

'CHUTZPHA'다. 맨 앞의 'C'가 묵음이고 '후츠파'로 읽힌단다. 내용은 유대인의 국민성, 7가지 창의력을 북돋아 주는 요소를 말했다.

그 7가지는 Informality(무형식, 형식의 타파), Questioning Authority(질문 권리), Mash up(섞임), Risk taking(위험 감수), Mission orientation(목표 지향), Tenacity(끈질김), Learning from failure(실패로부터의 교훈)이다. 이 모두는 CEO가 부모가 교수가 끌어줘야 하는 덕목이라 했다. 그래야 앞서 말한 무에서 유를 창조하는 힘 상상을 혁신으로 만드는 수직(Y) 축으로 갈 수 있다고 했다.

데이터 대 항해 시대! 소프트파워를 키우기 위해서는 상상력을 배양할 것을 주문하는 강의였다. 상상이 현실이 되게 혁신으로 이끄는 바탕으로 이스라엘의 후츠파 창조 정신을 소개했다. 이제 책으로 간다.

제22화 남명 선생님은 행복했을까?

행복의 경제학 – 김홍범님 강의를 듣고 –

어쩌면 우린 늘 위로가 필요할지도 모른다.

'아카데미 남명'의 이번 주 강의 주제는 '행복의 경제학 – 남명 선생님은 행복했을까?'였다. 강사는 퇴임하시고 카이스트 초빙 교수로 계시는 김홍범 교수님이셨다. 학장 재임 시에 단과대학 최초의 기록을 여럿 만드신 분이다. 그 당시로는 거의 처음으로 업무추진비를 단대 홈페이지에 공개하고 자체 회의를 정례화하기도 했다. 대학 본부에 제안도 많이 하여 여러 행정 시스템을 바꾸기도 했다. 10여 년 전의 학장님이 오시는 날이라 서둘러 달려갔는데 막 시작하고 있었다.

시작 전에 인사를 못하고 앉은자리는 계속 불편했다. 수강생인데 마음이 불편한 이유는 뭔지. 자꾸만 경제 전문가께서 남명 선생님을 어떻게 소개하실지 염려됐다. 그 염려는 본인 스스로 남명 선생님을 몰랐다고 하실 때와 중간중간에 여러 선생님들이 졸고 계시다며 경제학은 원래 좀 어렵다고 농을 하실 때 더 커졌다. 경제적인 요인은 분명 행복의 척도에 큰 영향을 끼친다고 할 때도 어찌나 걱정되던지. 그렇다면 청빈했을 남명 선생님은 과연 어떻게 행복했을 것이란 말인가.

그러나 기우였다. 출발한 이야기 배는 노를 젓듯 살짝살짝 좌우로 앞뒤로 왔다 갔다 하며 말의 공간을 넓혀갔다. 던진 화두를 간단히 요약부터 하며 불안감을 해소시켰다. 남명 선생님은 자신이 지향하는 삶을 자신이 원하는 방식으로 오롯이 살았던 분이라 여기므로 당연히 행복에 충만한 삶을 살았을 것으로 본다고 하셨다. 어찌나 다행스럽던지. 이야기가 본론으로 무르익어 갈 때 그리고 마무리되었을 때 질문이 아니라 감사의 인사들이 쏟아졌다. 나 역시 예상치 못한 말을 들었다.

삶은 현재진행형일 때가 행복한 것이라는 말이다. 무언가 실현됐다고 느끼는 순간 불행이 시작되는 예가 많기에 갈망과 다가서는 마음, 지향성을 가지고 사는 삶이 중요하다 했다. 지금 무언가를 향해 달리고 있는 현재가 가장 행복한 때라고 했다. 행복이 마치 저기 나무 위에 달린 열매라고 올려다만 보며 종종거리지는 않는지 돌아보게 했다. 지금 살고 있는 모습이 가장 행복한 순간 일 거라는 말은 그날 나에게만 다가온 뭉클함이었을까.

남명 선생님의 도덕률인 경의관은 2400년 전 그리스의 철학자 아리스토텔레스의 '덕' '탁월성'과 '이성'에서 맞아떨어졌다. 인간의 행복이 '지적 탁월성'의 발휘와 '성품 탁월성'의 발휘에 달려있다고 한 아리스토텔레스의 시각이 '덕'이 없으면 '실천치'가 불가능하고 '실천치' 또한 '덕'이 없으면 불가능하다(편성범, 2015)는 내용, 남명 선생님의 '경'과 '의'의 관계와 사실상 동일하다(김영기, 2021)는 것이다.

위대한 철학자 아리스토텔레스도 조선의 남명 선생님을 알았다면 크게 부러워했을 것이라 했다.

'이스털린의 역설'이란 게 있었다. 소득이 늘어나면 더 행복해질 것이란 기대와 달리 소득이 일정 수준 넘어서 기본적인 욕구가 충족되면 소득이 증가해도 행복에는 별 영향을 미치지 않는다는 이론이다. 한 시점(횡단면 분석)에서는 경제적 이유가 행복에 영향을 미치지만 시간이 경과함(시계열분석)에 따라 경제적 이유는 행복에 영향이 없었다. 즉 경제 성장 자체가 장기적으로 행복을 늘려주는 것은 아니라는 사실이 경제학이 밝힌 결론이라 했다.

남명 선생님은 행복했을까의 궁금증으로 시작한 화두는 행복의 경제학으로 이야기꽃을 피웠고 '나짐 히크멧'의 '신과의 대화', '나다니엘 호손'의 단편 '큰 바위 얼굴' 그리고 사상가 '랄프 왈도 애머슨'의 '성공이란 무엇인가(시)'의 소개까지 이어졌다.

 '결코 죽지않을 것처럼 사는 것. 그리고 결코 살아본 적이 없는 듯 무의미하게 죽는 것'

'나짐 히크멧'의 '신과의 대화' 일부분이다. 마치 살아본 적이 한 번도 없는 사람들처럼 죽게 되기에 살면서 죽을 준비를 해야 하지 않은가 하셨다.

'나로 인해서 단 한 사람이라도 숨을 쉬는 것이 편안해진 것을 안다 면 난 성공한 것이다.'

'랄프 왈도 애머슨'의 '성공이란 무엇인가(시)'의 한 문구다. 이 문구 를 말씀하시는 데 일순간 청자들이 모두 숨을 죽이는 것 같았다. 시 는, 문장은 이렇게 사람을 다스리는 힘이 있었다.

결과와 과정이 다 중요하지만 과정에 더 중요성을 두어야 한다는 말. 그 말이 왜 그렇게 위로가 되던지. 평소 듣고 흘리는 말도 같이 나누 고 공감하면 목석같은 사람에게도 여운을 줄 수 있음을 새삼 느꼈다. 그게 경우에 따라서는 대오감읍이 되기도 하고 감동이 되기도 하고 위로가 되기도 한다.

제23화 관심의 끈 놓지 말기

한국의 독립운동과 대한민국의 성립 - 이만열님 강의를 듣고 -

어제부터 내린 비는 하루 만에 사람들의 옷차림을 바꿔놓았고 남강 물을 두 배는 불려놓았다. 그렇게 많은 강물을 가까이서 보긴 처음이었다. 강가로 내려가 도도하게 흘러오는 물더미를 보는데 뭉클 눈물이 솟았다. 그 물들이 넘쳐 발 위로 나에게로 밀려올 것 같았다. 도도한 역사의 물줄기라는 말은 그렇게 압도되는 느낌에서 나온 말일까?

남명 닮은 지도자를 육성하는 '아카데미 남명' 두 번째 특강이 있는 날이었다. '한국 독립운동과 대한민국 성립'이라는 주제로 열렸다. 이번 강의 강사님은 숙명여대 명예교수님이며 전 상지대 이사장을 지낸 이만열 선생님이셨다. 주최하신 김영기 교수님의 정이 뚝뚝 묻어나는 소개로 시작하여 한 땀 한 땀 정성스레 전해주는 강의는 옥석을 캐듯 전해져 왔다. 가지 않았으면 몰랐을 내용을 보고 듣고 알게 되었다.

매일 드나드는 캠퍼스인데도 엉뚱한 곳에 가서 강의실을 찾았다. 너무 일찍 왔나 생각하다가 잘못 온 것을 알아채고 잰걸음으로 강의실을 찾아갔다. 아는 곳에서도 이러하니 초행길은 오죽할까. 문득 모든 일이 이러하지 않을까 싶었다. 자기만의 세상 속에서 모두는 바쁘다. 그러다 보니 알아야 할 일도 너무나 모르는 경우가 많다.

알아야 할 일을 너무 모르고 사는 건 아닐까 싶어서 늘 배우고 참여하려고 애쓰며 지나왔다. 그래도 여전히 너무나 부족한 모습에 매일매일이 배움의 연속이다. 그 와중에 떠오른 생각이 있다. 고개를 들고 바라본다고 해도 마음을 기울여 관심을 가져야만 본질을 볼 수 있었다. 그러니 어떠한 일에 관심을 가지는 일은 특히 자기와 직접적인 관련이 없는 일에 관심을 가지는 일은 참으로 어려울 것이다.

우리 역사를 배우는 강의다. 항일 독립운동기에 독립운동 단체는 상해 임정 외에도 국내외에 여럿 있었다. 해방 후 정부 수립 운동 과정을 상세히 알게 되었다. 안다고 생각했는데 몰랐던 일이 더 많았고 부끄럽게도 처음 알게 된 일이 태반이었다. 정말 참석하기를 잘했다.

지금도 심심찮게 논란이 되는 이야기는 명확한 답이 나와 있는 일이었다. 대한민국 정부 수립일에 대한 논란이다. 1948년 8월 15일 대한민국 정부 수립 선포식 사진을 보면 윗부분에 현수막이 걸려있다.

'대한민국 정부수립 국민 축하식'이라고 되어있다. 대한민국 건국은
이미 되어 있었으니 그 대한민국의 정부 수립 축하식이었다.

다음 사진은 '대한민국 관보 1호'다.

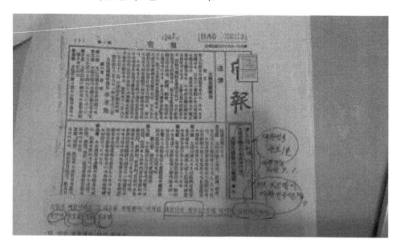

'대한민국 30년 9월 1일, 대한민국정부공보처'라고 되어있다.
1919.4.11일이 대한민국 성립일 건국일이라는 말이다. 그러니 지난 정부 때 2008년 뉴라이트에 의해 '건국 60주년'으로 강조하던 일이나 국사교과서 국정화와 관련하여 1948년 건국설이 재 강조되었던 일에 대한 명확한 답은 이렇게 있었다.

마음을 기울여 관심을 가져야만 본질을 볼 수 있었다. 당장 나와는 무관해 보일지라도 이념과 사상이 포함된 일이라면 쉽사리 사용하는 생필품도 그 출처를 생각해 보아야 한다지 않은가. 일본산 물건을 사용해야 하느냐에 대한 의견이었다. 반성하고 사과하고 잘못을 인정하지 않는 사람들과는 어떤 대화를 어떻게 해야 할지 역사를 배우며 고민해야 할 일 같다.

나만 사는 세상이 아니고 감사하게 부여받은 인생이고 더불어 사는 세상이기에 내 욕심만 가질 수는 없다. 하물며 부모 된 사람이고 사회의 구성원이라면 특히나 대의도 생각해야 하지 않을까. 민족과 국가가 걸린 문제라면 그 관심의 깊이는 더 깊어야 할 것이다.

제24화 도를 알고 체득하는 학문을 하기로 한 사람

남명학의 본질은 무엇인가 - 최석기님 강의를 듣고 -

문명이 없는 남쪽 바닷가에 은거한 사람! 어지러운 세상을 피해 남쪽 어두운 바닷가로 옮겨 은거한 사람! 남명의 뜻이다.

'아카데미 남명' 8번째 이야기 '남명학의 본질은 무엇인가?' 최석기 교수님의 강의가 있었다. 겨울비가 온종일 내렸고 어둠도 내린 저녁에 젖은 우산을 받으며 온 사람이 많았다. 우리나라 최고의 한문학자 최석기 교수님을 뵈러 오셨고 당일 주제가 주는 무게도 한몫했을 것이다. 조식 선생님의 호 '남명'의 뜻도 몰랐고 강의 주제인 '남명학의 본질'은 더더욱 몰랐기에 누구보다 궁금한 마음으로 갔다. 부지런히 적어보리라 그러면 이해되겠지 했는데 정말 예상치 못한 시간이었다.

한문학자님의 목소리는 카랑카랑했다. 정말 쉽게 잘 들려왔는데 쓸 수가 없었다. 분명 알아들을 수 있는 한글로 말하는데 한자로 적으려 한 것도 아닌데 적을 수가 없는 것이다. 강의 시간이 한달음에 흘러간 것도 예상밖이었고 강의하신 분보다 질문을 더 어렵게 하는 사람도 신기했다. 제대로 기록하리라 벼르며 참석했는데 네 쪽도 채우지 못했다.

다음날 아침 작정하고 식탁에 앉아 교재를 펼쳤다. 읽어서 이해를 하고자 한 것이다. 한자는 괄호로 묶었고 한글로 차근차근 정리한 '남명학의 본질은 무엇인가'라는 글을 읽어가는데 우리말이 쉬운 것인지 설명을 너무 잘한 것인지 나도 모르게 소설을 읽듯 따라가고 있었다.

'성현의 학문'이란 '도덕을 추구하는 학문'이기에 남명 선생님이 '성현의 학문에 뜻을 두었다'라고 하는 말은 '도덕을 추구하는 학문 즉 도를 알고 체득하여 성현이 되는 학문을 하기로 하셨다'는 말이었다.

16세기 조선시대 사화가 빈번하게 일어나던 시절 남명 조식 선생님은 어느 날 '성리대전'을 읽다가 성현의 학문에 뜻을 두게 되었다는 말을 여러 차례 들었는데 잘 다가오지 않았었다. 그 성현의 학문이라는 말이 무슨 뜻인지 과거를 보지 않고 속세에서 글공부를 하고자 했다는 말이 무슨 뜻인지 교재를 읽어가면서 이해했다. 임진왜란이 났을 때 57명의 제자들이 사비를 털어 의병운동을 한 맥락도 이해할 수 있을 것 같았다.

제자 안회가 공자에게 '인(仁)'을 물었는데 '예가 아니면 보지 말고,

예가 아니면 듣지 말고, 예가 아니면 말하지 말고, 예가 아니면 행동하지 않는 것이다'라고, 자신의 사욕을 극복해 물리치고 예로 돌아간다는 '극기복례'를 답했다. 그것은 극기복례가 인의예지신의 본성을 회복하는 방법으로 가장 적합했기 때문이라고 한다. 남명 선생님은 이 극기복례를 학문의 본령으로 삼았다고 한다. 그렇게 눈 귀 입 몸으로 실천하는 '실천유학'을 이 땅에 새롭게 정착시킨 분이라 한다.

그다음 남명 선생님이 생활 속에서 눈 귀 입 몸으로 본성에 위배되는 일을 하지 않기 위해 스스로 자신을 실험하고 경계하면서 한쪽으로 치우치거나 잘못된 방향으로 나아가지 않게 노력하신 모습이 나온다. 진실무망의 경지인 성(誠)에 도달하기 위해 생활 속에서 실천하고 노력한 모습을 읽으면서 나는 교재의 빈 곳에 이렇게 적었다. '대박이다' '정말 대박이다'라고.

아니 어떻게 이런 사람이 있지. 어떻게 이런 분이 있었단 말인가. 아! 어제 수업을 좀 더 야무지게 들을걸. 미리 교재를 한번 보고 갔으면 귀에 더 잘 들어왔을까? 우와! 정말 남명 선생님 공부해보고 싶다.'

누구나 매 순간 치열한 자기와의 싸움 속에서 산다. 10대는 10대대로 20대는 20대대로. 50이 넘었다고 번민과 고난이 끝나지 않는다. 어른 아이 없이 모든 사람들이 지위고하에 상관없이 번민과 스트레스에 노출되어 있다. 세대에 상관없이 들여다보면 결국 같은류의 고민들이다.

경쟁 비교 갈등 험담 같은 심성수양이 부족한 데서 오는 결과들이다.

남명 선생님은 일상에서 마음수양을 위하여 순간순간 일어나는 사욕을 극복할 수 있는 방도를 궁구하여 매일 실천하셨다 한다. 그 8가지 일화를 읽고는 자리에 앉아있을 수가 없었다. 첫 번째 일화 '밤새도록 물 잔을 두 손으로 들고서 의지를 강건하게 유지하려 하였다는 말처럼 나도 깨끗한 잔에 맑은 물을 담아 밤새도록 두 손으로 받쳐 들고' 싶었다. 그렇게 의지를 지키려는 노력을 하셨단다.

말을 삼가려고 일상의 공간 속에 '금인명'을 지어 붙여 놓았는데 자신을 경계하고 깨우치기 위해 주시하면서 잊지 않으려 한 경구이다. 늘 착용하는 혁대에도 써 놓고 말을 조심하였으며(혁대명), 진실한 성심을 보존하기 위해 '좌우명'을 써 붙여 놓고 주시하였다. '성성자'라는 쇠방울을 차고 다니며 정신을 또렷이 하려 하였고 '경의검'이라 불린 칼을 지니고 다니며 마음에서 일어나는 사욕을 즉석에서 베어내려 했다. 그 칼자루에 '안으로 마음을 밝히는 것은 경(敬)이고 밖으로 일을 처단하는 것은 의(義)이다'라는 8자를 새겼다. 네 명의 옛 성현의 초상을 그려 걸어놓고 본받고자 매일 예를 갖추었다. 그리고 '신명사도'를 걸어놓고 매일 주시하며 성찰하고 극기하였다 한다.

글의 마지막 줄에 이런 당부의 말이 있었다. '오늘날 남명 정신을 통해 우리가 재무장하고 재건설할 가장 중요한 일이 바로 자신의 덕성을 계발하여 공정과 정의를 확보하는 일이다'라고. 공정과 정의를 확보하는 일. 자신의 덕성을 계발해서. 그렇게만 된다면, 그런 노력만 한다면 만 사람이 늘 노출되어 있는 치열한 번민과 고난 스트레스를 너끈히 물리칠 수 있을 것만 같았다.

'신명사도'라는 게 있었다. 마음을 다스리는 핵심적인 내용을 한 장의 도표로 그린 그림이다. 개인이 마음을 다스리는 것을 임금이 나라를 다스리는 것에 비유하여 그린 그림이다. 임금이 사지에서 죽을 각오로 나라를 지켜야 하듯이 사람도 목숨을 걸고 마음을 기르고 살펴 사악한 데로 빠지지 않도록 해서 지선의 경지를 유지해야 한다는 그림이다. 그 그림은 임금 태일군이 거주하는 집을 그려놓고 그 궁궐에 드나드는 성문을 목관 이관 구관이라 하였다. 이는 사람의 눈과 귀와 입을 의미했다.

신명사는 한 나라를 다스리는 임금 태일군이 거주하는 집이다. 개인에 비유하면 신명 즉 마음이 머무는 심장이다. 임금이 나라를 잘 다스리기 위해서는 현신을 등용하여 국정을 운영하는데 그 직책이 총재이고 그 이름이 경(敬)이다. 임금은 명덕을 밝히고 왕도를 펴 세상을 태평하게 하는 것이 임무이기에 천덕과 왕도 두 목표를 좌우에 제시했다.

사람이 수양할 적에 목관 이관 구관 이 세 관문으로 드나드는 마음을 잘 성찰하여 악으로 빠지지 않도록 해야 하는데 남명은 이런 성찰을 적당히 하지 않고 100% 완전하게 하기 위해 주역 대장괘의 뜻을 취해 펄럭이는 깃발을 그려 넣었다. 대장괘에는 '예가 아니면 행하지 않는다'라는 말이 있는데 바로 극기복례를 말한 것이다. (중략) 이 '신명사도'를 읽고 그 옆에 나는 '대박이다'라고 적어놓게 된 것이다.

'역서학용어맹일도도'라는 것도 있다. 주역 서경 대학 중용 논어 맹자에서 심성수양에 관한 요지를 뽑아 융합적인 시각으로 그린 그림이다.

서경 대우모에 '인심은 오직 위태롭고 도심은 오직 미미하니 오직 앎을 정밀하게 하고 마음을 전일하게 해야 진실로 중용의 도를 잡을 수 있다'라고 한 것에서 '유정정공부'와 '유일공부'를 중심에 두고 이 두 공부를 통해 진실무망의 성(誠)에 이르는 것을 도표화 한 그림이다.

'성도'는 중용의 대지인 성(誠)을 중심으로 성을 얻는 실천 방법을 제시한 그림이다. 중앙 원 안의 성을 중심으로 사방에 성을 얻기 위한 공부와 공효를 주역 대학 중용에서 뽑아 넣었다. 성은 유학에서 추구하는 천인합일의 경지로 그런 경지에 오른 분이 공자이다. 성도 중앙

의 성은 남명이 추구한 궁극적인 목표라 한다.

'신명사도'와 '역서학용어맹일도도' '성도' 모두가 남명학의 본체에 해
당한다.

제25화 수채화 시인의 행복 이야기

힐링 시 콘서트 - 강원석 시인의 북 토크 후기 -

'하루에 하늘을 몇 번 보나요? 하늘을 보면 뭐가 떠오르나요?'

'여러분 모두 눈을 한번 감아 보세요! 자 다시 떠보세요. 눈을 감았을 땐 세상이 사라지고 눈을 떴을 땐 세상이 다시 나타났지요? 그러니 내가 세상의 주인입니다.'

순수함을 잊고 싶지 않아서 시를 읽는다는 시인은 세상에는 고마운 것이 너무 많다고 했다. 세상에 봄볕같이 많다고 했다. 그리고 좋은 마음으로 시를 쓰다 보니 행복한 일이 너무 많다고 했다. 좋은 시를 읽는 것은 좋은 친구를 사귀는 것과 같다고 한 편의 시가 사람의 인생을 바꿀 수 있다고 했다.

밥 (강원석)

저녁 올 무렵 허기가 져
노을로 밥을 지어먹었다.

시장기가 가시질 않아
왜 그런가 생각하니

어머니 그 말씀이 없었구나
"한 숟갈만 더 먹어라'"

'시는 마음입니다.' '그 마음에 공감과 감동을 넣으면 사랑받는 시가
됩니다. 마음을 짧은 글로 표현한다고 생각하며 쓴 글을 100번이고
200번이고 다듬어보세요.'

궁금했었다. 시가 무엇이라고 생각하느냐의 질문에 '이야기'라고 답을
하고 앉아있었는데 '마음'이라는 것이다. 시를 한번 써 보고 싶어 시
인을 만나러 갔는데 그 마음을 읽었나? 답을 줬다. 왠지 금방이라도
마음을 표현해 보고 싶었다. 무수히 넘쳐나는 하고 싶은 말과 마음.
이야기가 아니라 스스로 공감하고 감동 받을 수 있게 마음을 한번 써
볼까.

행복 (강원석)

꽃을 볼 수 있으니 좋구나
향기를 맡을 수 있으니 또 좋구나

살아간다는 것
그것만으로도 행복할 수 있다면

너의 삶도 나의 삶도
꽃처럼 피고 또 피리라.

'하는 일이 있고 사랑하는 사람이 있고 희망이 있으면 그 사람은 행
복한 사람이다. - 칸트 -

'아침에 눈 뜨는 것 자체가 행복이다. 내 곁에 오래 머물지 않는다.
행복을 미루지 마라.' '해가 뜨고 비가 오고 꽃이 피고 새가 울고 그
모두가 아름다운 세상을 나에게 선물하기 위해서인데 보지 않는다.' '
뭔가 하고 싶다는 것이 꿈이다. 자기가 꿈이 없는데 어찌 아이들에게
꿈꾸라 하겠나.'

운과 행운과 희망은 늘 자신의 주위를 맴돌며 언제 앉을까 하고 있단
다. 미소를 띠고 웃어줄 때와 따뜻한 말 한마디 할 때 내려앉는다고
했다. 그럴 때 좋은 시가 나온다고 그런 마음으로 살다 보니 시도 쓰

게 되고 강연도 하게 되었다는 시인은 참석자 모두의 마음에 작은 꽃씨를 하나 뿌려주고 가고 싶다고 했다.

시를 읽는 사람은 꿈을 색칠하는 것이라고 행복을 미루지 말라고 한 시인은 어쩌면 그 행복에 다가가는 하나의 방법으로 시를 쓰고 시를 읽을 것을 주문한 것인지도 모른다.

신형철 님의 '슬픔을 공부하는 슬픔'에서 '우리가 시를 읽어야만 하는 이유'에 절절히 공감했었다. 그때 최소 하루 한 편의 시는 읽자 했던 마음이 다시 살아난 날이다. 또 한 명의 시인이 아름다운 무늬를 그려주고 갔다. 어쩌면 우리는 행복하기 위해 좀 더 적극적이어야 할지도 모른다.

Ⅳ 길사랑

자기를 만나는 길은 여러 갈래가 있습니다.

여행도 자기를 만나러 가는 길이지요.

책에서
사람에게서
그리고 낯선 길에서 자기를 만납니다.

처음으로 나선 먼 길
타지에서 적은 글입니다.

제26화 태평양을 건넜다

제각기 제 생각들을 가지고

처음으로 태평양을 건넜다. 아니 건네어졌다. 그 많은 사람들이 그 많은 짐을 가지고 어떻게 한 비행기에 탈 수 있는지 놀라웠다.

누구나 꼭 한자리만 갖는데 준비할 일은 어찌 그리 많던지. 안전벨트에 묶이는 순간부터 어떤 것도 할 수 없는 상실감은 절망인 듯 막막함을 넘어 내가 얼마나 미미한 존재인지 절절히 깨닫게 해줬다. 그렇게 공간 이동을 했다.

미국이라는 나라가 주는 의미, 나에게 다가오는 의미, 가서 보고 올 것은 뭘지 생각이 깊었다. 일행을 챙겨보고 일정도 뜯어본다. 행정적 지원 외에도 젊은 아이들에게 다가갈 느낌도 추측해 보았다. 지도교수님을 중심으로 열심인 모습이 보기 좋았다.

뭘 놓고 왔지? 뭘 챙겨 왔지? 제각기 준비하고 도전하여 선발된 아이

118

들도 똑같이 비행기의 한 모퉁이에서 견뎌냈을 시간만큼 그들에게 지금 보이는 만큼 그 이상을 배울 것이다. 부디 각자의 마음에 한 알 밀알이 심어지길 바라본다.

떠나보내기만 하고 바라만 볼 때와 차이가 있다. 단체 학습 여행인데도 교수님 포함한 모두가 열 손가락 지장을 찍고 이 나라에 입국했다. 젊은 친구들이 약소국의 국민이 받는 처우가 어떠한지 느꼈을까.

그리고 어떠한 일도 결코 쉽게 주어지지 않는다는 것도 기억하기를. 내일부터 2일 차 일정이 기다리고 있다. 나에게도 함께한 모두에게도 좋은 계기가 만들어지기를 바란다.

제27화 비가 와도 좋고 추워도 좋은 날

UW 워싱턴대학 방문

공항에 내릴 때부터 시작된 비는 이튿날에도 여전했다. 상기된 표정으로 하나 둘 우산을 받으며 학생들이 나타났다. 워싱턴대학을 방문한 날이다.

유럽의 성당 같은 도서관 앞에서 오가는 수많은 학생을 보았다. 아직 가을 학기 중이라는 대학은 한눈에 보아도 다양한 국적의 친구들이었다. 한인 학생들을 만나 조별 미팅을 하고 이동해 갔다. 우린 도서관을 둘러보았다.

한참을 올려다보아야 하는 천정 아래의 열람실은 웅장했다. 책을 뽑아보고 옆자리에 앉아도 누구 하나 바라보는 이가 없고 제 책에 코를 박고 있었다. 그게 왜 그렇게 편하던지.

'북스토아'를 찾아가는 길에 웅장한 장군의 뒷모습이 있었다. 한참을 걸어지나 가서 올려다보아야 그 얼굴이 보이는 조지 워싱턴 대통령의 동상이었다. 6만이 넘는 학생들의 정신적 구심점으로 보였다. 그렇게 내려다보며 기다려주는 것 같았다.

날씨가 비슷하여 비가 많은 북유럽의 이민자들이 많다는 시애틀은 습한 날씨 덕에 색다른 풍경도 많았다. 고운 먼지 같은 빗방울이 모여서 나뭇가지에 유리구슬을 만들고 있었다. 새 찬 빗줄기는 절대 매달 수 없는 빗물이 모여서 만들어진 것이다.

공항에서부터 눈을 비비며 돌아보았던 나뭇가지마다의 푸르스름한 한 겨울의 새순도 그 빗물의 조화였다. 살아있는 가지에 이끼가 자라고 있었다. 습한 날씨 속의 공존이었다.

'북스토아'에서 남은 날 읽고 싶은 얇은 책을 하나 샀다. 왠지 덩달아 뭔가를 보아야 할 듯했다. 공부하는 곳은 공부하고 싶게 해 준다.

북스토아를 찾아오신 현지 두 분의 교수님은 학생들에게 둘러싸여 덕담과 질의응답의 시간을 가져주셨다. 대학을 돌아보고 온 학생들의 눈이 호기심으로 가득했다. 부러웠다. 가능성? 기회?

이동할 때마다 인솔자가 한 말이 있다. 사진에도 담지만 마음에도 담아가라고. 보고 듣고 느끼는 학생들에게는 추위도 비도 맞장구쳐주는

우군 같았다. 돌아가면 어떤 효과를 가져올지. 모두가 한 겨울임에도
푸릇푸릇했다.

제28화 쨍하고 해 뜬 날

내일부터 또 흐릴지라도

아침 햇살이 반가웠다. 일주일 내내 흐린다고 했는데.

신기하여 이른 시간에 나갔다. 우리를 기다리는 하얀색 대형버스 위로 옆으로 맑은 하늘과 햇살이 비치기 시작했다. 건물도 넓게 지을 수 있고 길도 넓게 낼 수 있는 넓은 땅은 하늘과 바로 닿은 듯했다. 호텔이 외곽에 있어서 그런가? 맑은 날씨 속에서 본 미국은 땅도 부러웠다.

기대하지 못한 맑은 날씨는 일정을 몰아 강행군을 하게 했다. 실제로 가 본 시애틀의 '아마존고' 매장은 물품이 그리 많지 않았다. 신용카드로 승인을 받고 입장하면 비치된 물건을 담아서 그냥 나와도 결재가 되는 매장이다.

아마존 직원들의 휴식을 위해 지었다고 하는 커다란 돔 식물원은 궁금증만 키웠고 겉모습만 보고 왔다. 몇 달 전에 예약하거나 본사 직원을 동행해야 출입이 허용됐다.

'space neddle'을 방문할 수 있었다. 고소공포증으로 엘베는 눈을 감고서 올랐고 바깥 전망대는 벽에 붙어 발을 떼다가 내부에 들어와서야 둘러보았다. 바깥 전망대에서 걸어보진 못했지만 그래도 모두 즐기는 모습만 보아도 가슴이 철렁철렁 내려앉고 미소가 번졌다.

그 아래 1층에서 기념품만 사도 좋았고 선물을 나눠줄 생각에 더 좋았으니 아! 영상도 남겼다.

한라산 백두산 보다도 더 높아 보인다는 그 탑은 왜 쌓았을까? 그 이유나 발단은 있었겠지. 거대 국가 거대 도시의 상징뿐 아니라 얼마만큼의 경제 효과를 내었겠나? 그 규모에 놀라고 사진도 남겼고 여러 생각도 남았다. 그들도 결국 우리같이 봐주는 이가 필요하다. 부지런히 보고 배울 일이다.

우리에게도 개인에게도 쨍하고 해 뜰 날이 올 것이다. 나와서 보니 나와서 생각해 보니 우리 사는 곳 나도 받아 온 교육제도만큼은 정말 고심해야 하지 않을까 싶다. 여러 사회문제와 결부되어 있지만 결정권을 가진 자들이 제발 담대한 결정을 해주기를 소망한다. 더불어 개인이 할 수 있는 일은 뭐가 있을까 생각해 본다.

땅 좁고 사람 많았던 나라, 땅 좁고 사람도 줄어든다는데, 우리 글 있고 우리 문화 찬란하고 우리 역사 위대한데 우리 젊은이들은 왜 살아가기가 더 어려워지는지.

쨍하고 해 뜰 날을 만들어 가 보면 좋겠다. 모두 같이.

제29화 우린 갈 곳이 정해져 있는 사람

무얼 해볼 것인가!

TV 프로그램 중 '빅퀘스천'이라고 있다. 그중 모 교수님의 강의가 생각난다.

우리 몸의 성분은 흙과 비슷하고 체액은 바닷물과 비슷하단다. 그러니 사람은 자연의 일부라 했다. 사람에게 필요한 영양분을 나무가 전해주는데 나무가 키우는 열매를 못 보고 먹지 못할까 봐 나무는 빨갛고 노랗고 보랏빛들의 화려한 색으로 제 존재를 나타낸다고 했다. 사람은 그 열매를 먹고 살아온 것이다.

태어나고 자라고, 가고 오는 그 과정을 이 땅은 무수한 세월 동안 보았을 것이다. 누군가는 그 주어진 한 생이 눈 한 번 깜빡하는 찰나였다고도 하지만 또 누군가에겐 현재의 삶이 영원히 지속될 것 같은 무거운 돌덩이에 눌린 듯할지도 모른다.

어찌 되었든 우리 생은 '옴'과 동시에 '감'이 정해져 있다. 이 생에 와서 그 기간 동안 무얼 느끼고 무얼 실천하며 살아보고 가느냐. 그건 오롯이 자기의 몫이다.

어떠한 일에도 반드시 시작이 있으면 끝이 있다.

아이가 태어났을 때 두세 시간마다 깨어 울 때가 있었다. 낮에 일을 하고 밤엔 데려다 키웠는데, 잠시 '아 이렇게 죽을지도 모르겠구나' 싶었다. 그런데 신기하게도 그 생각이 든 날 전후로 아이가 4~5시간을 자더니 어른의 수면 시간을 맞춰줬다. 그랬으니 아이를 키우느라 죽을 일은 없었다.

그 아이가 자라고 대학을 갈 때쯤, 그리고 부모님을 한 분 두 분 보내드리면서 문득 그런 생각도 들었다. '아! 이 애가 시집을 갈 날도 오겠구나!' '아! 내가 죽는 날도 오겠다!'

그건 그 나이를 지나 봐야 느낄 수 있는 깨달음 비슷했다. 시작이 있으면 마무리가 있는 것, 그게 생이다. 그 생 속의 무수한 일들도 마찬가지다. 과제를 받아 작성을 시작했으면 끝맺음이 있고 하루가 시작되면 그 하루가 분명히 저문다. 수많은 반복 속에서 우린 크게 주어진 생에 대비하여 늘 준비 연습을 하는 것인지도 모르겠다.

일주일의 연수가 끝나는 저녁이다. 일요일에 도착하여 다시 일요일을 시작할 때 한 참 남았을 것 같았는데 빽빽한 일정이 어느새 마무리된 것이다. 나 역시도 이날이 올까 싶었는데 젊은 친구들이야 오죽할까마는 그래서 그 말이 맞는 것 같다. '지금 행복 하자!' '지금에 열중하자!'

다시 태평양을 건너가면 그래야지. 지난날에 메이거나 오지 않은 날을 염려 말고 그저 매 순간에 집중하리라.

갈 곳이 정해져 있다는 것은 설레는 일 같기도 하다.

제30화 멀리 보는 혜안

파격이라고 느껴지는 결단이 더 필요하다

선배들에게는 그 땅 미주리대학에서 6개월에서 1년가량 공부할 수 있는 어학 코스가 있었다. 20여 년 전 모 총장님은 행정직원에게도 어학 코스를 만들어 주셨는데 그분이 UNIST 초대 총장이셨던 분이다. 4~5차례 정도 시행된 이후 그 제도는 없어졌다.

그즈음 GEM이라는 우리 동아리 멤버 두 명이 다녀왔었기에 기억한다. 다녀온 이는 권하기도 했고 갈 줄 알았다고 했지만 신청하지 않았다. 여건 탓만 했는지 정작 용기가 부족하진 않았는지 모르겠다.

여하튼 그 미국을 수년이 흐른 후에 업무로 다녀왔다. 학생들 인솔자 겸 보디가드로. 새로운 세상! 저쪽 끝의 땅에 한 번 가 본 경험은 잠시 지난 꿈같기도 하다. 도착하고 사흘쯤부터 감기가 왔고 한국에 와서는 주말을 지나 어제까지도 두통이 있었다.

누구는 10여 년도 전에 6개월 이상을 체류하며 공부했는데 참 대단한 일이었다. 그 제도가 지금도 존속한다면 얼마나 좋겠나. 일주일 만에 돌아왔는데 그 제도 후속으로 이어진 직원 복지 예산을 놓고 학내가 어수선하다.

일주일 동안 모바일 폰에 담아 온 사진을 아직 다 못 보고 있다. 감기 기운만큼이나 무겁기도 한 기간이었지만 생각이 많았다. 물설고 음식 설고 사람도 설어서 그랬을까. 살이 빠졌다고 하는데 그러고 보니 음식을 제대로 먹지 못했다. 그래도 새로운 일 천지였으니 그래서들 낯선 곳으로 떠나나 보다.

시애틀의 스페이스 니들, 스노퀼미 폭포, 차훌리 가든의 유리공예 전시물은 거대하고도 이국적이었다. 어느 주차장에 있던 현대 엘란트라를 발견한 반가움과 마트에 쌓여 있던 수백여 종은 됨직한 과일과 채소류들 그리고 군락처럼 모아둔 어여뻤던 갖가지 꽃들은 눈길과 발길을 붙들었다. 어디에나 사람이 좋아하는 것은 비슷했다.

학회나 세미나 등으로 외국 방문이 많은 전문직에 비해서 행정직원들의 경우 보고 들을 기회는 상대적으로 적다. 급속하게 변하는 시대에 조직이 그 기회를 조금이라도 마련한다면 내 외연을 확장하는 데도 기여하고 구성원 상호 간의 이해도도 나아질 것 같다.

일주일의 짧은 여정이었지만 개개인에게 다가온 느낌은 다양했을 것이다. 그 기간이 주는 의미를 찾자면 수두룩하지 않을까. 지난날 직원의 어학 코스를 만들었던 그 총장님은 그 시절에 벌써 필요를 직감했다. 파격이라고 느껴지는 그런 결단들이 더 필요해진 시절이다.

지금부터 10년 20년 후를 상상하는 것에 시간을 많이 투자해야 할 것 같다. 여행은 그 한 방법일 것이다. 다녀온 그 기간들이 모두에게 작은 상상을 주지 않았을까 싶다.

감사의 말

늘 함께하는 친구 동료들에게 고마운 마음을 전합니다.

기쁨이고 대견함이고 고마움인 우리 아이들에게도 이 작은 이야기
를 들려주고 싶습니다.

이야기를 들어주고 기다려주고 응원해준 모든 분께 감사드립니다.